本当に危険な

立入禁止国家

歴史ミステリー研究会編

彩図社

はじめに

世界地図を眺めていると、この世界は広く、未知のロマンに満ちているような気分になる。しかしその世界地図が、外務省が提供している『海外安全ホームページ』のものだったらどうだろう。

このホームページに掲載された地図は、「危険レベル表示」と書かれているボタンを押すと、その国や地域の危険度を4段階の色で示してくれる。黄色は「十分注意してください」、薄いオレンジは「不要不急の渡航は止めてください」、濃いオレンジは「渡航は止めてください」、赤は「退避してください。渡航は止めてください」という意味だ。

本書は、そのような濃い色で国土を塗られた、危険度の高い国々について、「立入禁止国家」としてまとめたものだ。

日本人にはあまりなじみのない国も多いが、グローバル化した世界にあって、日本と一切関わりがないという国はない。それが殺人事件やテロなどという接点であったとしても、否応なく関わらざるをえない事態になることも十分考えられるのだ。

たとえば、麻薬をめぐる争いが泥沼化しているメキシコや、市街地で突然銃撃戦が始まるおそれのあるシリアなどがある。

また、ほかの国から認められていないのに国家を名乗る、いわゆる「未承認国家」も存在する。軍事施設を占拠して国と名乗っているシーランドなどだ。

さらに、日本は北朝鮮を国家として認めていない。国家として認めないということは、国交もなく、何かトラブルがあっても誰も助けてくれないということである。これらの国や地域に気軽に立ち入ろうものなら、命の保証はないのである。


しかし、どの国にも人は生きている。どんなに危険でも荒廃していても、その国を愛し、もがきながらも生活を営んでいる人々がいるのだ。そのことを忘れずにいれば、ニュースを見る時、それらがフィクションではなく、生身の人間の記録だと感じることができるだろう。そして、自分もいつか当事者になるかもしれないと身を引き締めることになるかもしれない。

本書によって、私たちが生きている世界の現状を感じてもらえれば幸いである。

２０２１年１月

歴史ミステリー研究会

「本当に危険な立入禁止国家」　もくじ

1章　暴力と犯罪が蔓延する国

2章　厳しい自然環境のもとにある国

3章　一触即発の緊張の中にある国

4章　政治や宗教の問題を抱える国

※本文中の「危険データ情報」は、『外務省　海外安全ホームページ』2021年1月末日時点のものです。
※国旗の縦横比率は、国際連合が使用している基準に準拠し統一しています。
※地図に付記した各国の基礎データに「*」マークがあるものは、日本が承認していないことを示します。
※本書では、当時の資料や歴史性などを考慮し、表現等を当時のままとしました。なお、本文中に登場する人物の敬称については略させていただきました。

1章　暴力と犯罪が蔓延する国

メキシコ

泥沼の麻薬戦争と政治の腐敗に揺れる

麻薬をめぐる戦争

メキシコは、カリブ海を臨むリゾート地や、古代都市遺跡テオティワカンなど、数多くの観光地があることで知られる国だ。しかし、そうした表の顔の一方で、裏の顔として悪名高いのが「麻薬戦争」である。

メキシコは北の国境でアメリカと接しているが、その隣国アメリカへ大量の麻薬が密輸されている。密輸を牛耳っているのは、「カルテル」と呼ばれる巨大な麻薬組織だ。麻薬の密輸で得られる利益は年間5兆円ともいわれ、その莫大な闇の資金をめぐって、複数のカルテル間での武力抗争が絶えない。

メキシコの麻薬組織は、シナロアとハリスコ・ヌエバ・ヘネラシオン（CJNG）が二大勢力となっている。このふたつを中心に、大小さまざまな麻薬組織が血で血を洗う抗争を繰り広げているのだ。

また、麻薬組織はメキシコの軍隊や警察ともたびたび衝突し、多くの一般市民を巻き込んで深刻な被害を出している。麻薬組織との抗争に絡んで亡くなった人の数は、2006～2018年で20万人以上といわれる。まさしく〝戦争〟なのである。

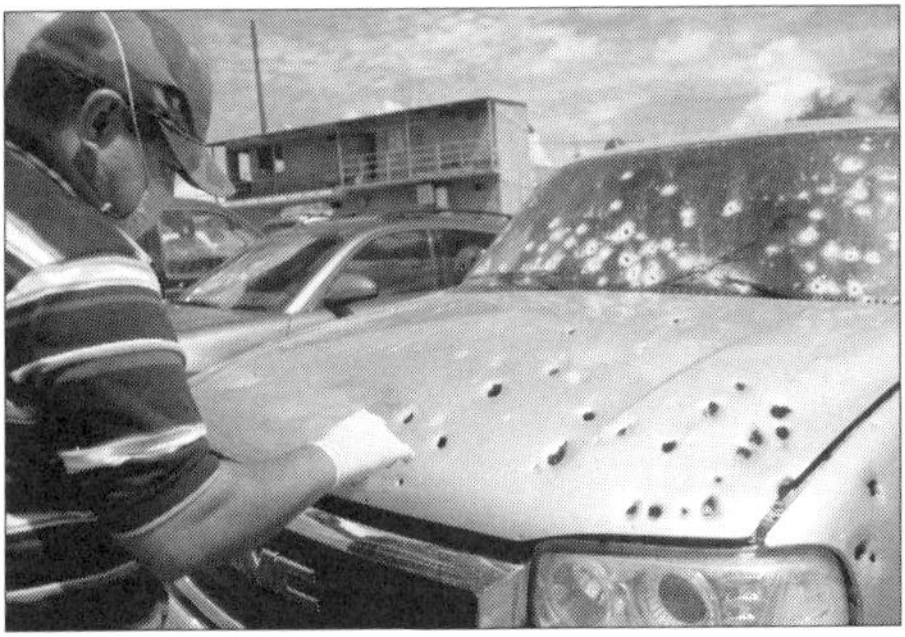

麻薬の捜査をする警官（©Knight Foundation/CC BY-SA 2.0）

学生たちの殺害を主導したのは市長だった？

メキシコ各地でしのぎを削る麻薬組織は、莫大な麻薬マネーを武器にして警察や政治家にも影響を及ぼしている。

2014年9月、腐敗した政府へのデモに参加しようとした学生43人が行方不明になった。彼らは全員麻薬組織に虐殺されていたのである。

しかものちの捜査によって、この事件には現職の市長や警察が関与していたことが判明している。

メキシコ政府の雇用差別に反対するデモに参加す

るためにバスに乗った学生たちは、警察の銃撃によってバスを止められ、拘束されて地元の麻薬組織に引き渡された。麻薬組織は警察と癒着していて、しかも、そうするようにと警察に命令したのは地元の市長だったのである。

その後の調査で、学生たちが市長夫人主催のパーティーを妨害しようとしていたためと発表された。事件の背景には不明な点も多いが、学生たちの遺体は損傷が激しく、鑑定も難しい状態だったという。

この事件にみられるように、警察も政治家も麻薬組織と癒着しており、人々にとっては頼れる存在ではないのだ。

選挙に絡んで120人以上が殺害される

いっぽう、麻薬組織にとって自分たちの金や力に屈しない政治家は優先順位の高い標的となるため、彼らに対する誘拐や暴行、果ては殺害事件が頻繁に発生している。

2016年には、メキシコ市の南方にあるテミスコ市で、就任翌日のギセラ・モタ市長が殺害されるという事件が起きた。彼女は公約として組織犯罪や麻薬取引の一掃を掲げていたが、当選を果たし就任した翌日の朝、自宅に押し入った武装集団によって、家族の前で殺害されたのである。

また、２０１８年に行われた総選挙では、候補者や選挙関係者が襲撃される事件が相次ぎ、１２０人以上が殺害されている。

にわかには信じられない事態ではあるが、麻薬組織はメキシコ国内のあらゆる業種にその触手を伸ばしており、立候補者が彼らの利害と対立し、汚職に対して厳しい政治姿勢を示している場合は簡単に殺害されてしまうのだ。

２０１９年には、ＣＪＮＧとみられる武装勢力がビリャグラン市の警官４人を誘拐し、尋問する動画を公開している。

市長を始めとした市政の中枢部や、警察がＣＪＮＧと対立する麻薬組織サンタ・ロサ・デ・リマと裏でつながっているという証言をした警官たちは、後日ポリ袋に入った死体として見つかったのである。動画の中で武装勢力の男たちは「市政にかかわるな。市長と警察はサンタ・ロサ・デ・リマに味方している」というメッセージを発している。

極めつけは国政に関わった政治家の逮捕だ。２０２０年10月15日、サルバドル・シエンフエゴス前国防相がアメリカのロサンゼルス空港でアメリカ麻薬取締局（ＤＥＡ）に拘束されたことが報道されたのである。

シエンフエゴスは麻薬組織ベルトゥラン・レイバとつながっており、麻薬の密輸や資金洗浄に協力する見返りとして賄賂を受け取っていたのだ。

翌日、起訴は取り下げられてメキシコに帰国したものの、犯罪と闘う英雄として尊敬されていたシエンフエゴスの逮捕は、汚職のニュースに慣れっこになっていたメキシコ国民にも大きなショックを与えた。大きな力を持つ軍部を掌握していたシエンフエゴスに対して、軍内部ではかねてから麻薬組織との関係も噂されていたのだという。

ジャーナリストの取材も命がけ

もはや国内の自浄努力ではどうにもならない状況に見えるが、この惨状を世界に向けて発信しようとするジャーナリストたちにとっても、メキシコはもっとも危険な仕事場といえる。

政府の汚職や麻薬組織について取材するジャーナリストを狙った暴行や誘拐、殺害事件は後を絶たず、２０１０年以降、１３８人が命を落としている。世界中が新型コロナに揺れた２０２０年は、11月25日時点での犠牲者が19人となり、２０１０年以降で最悪となっている。

観光客を狙った誘拐や強盗事件も日常的に発生しており、外務省のホームページにもメキシコの犯罪発生件数は増加傾向にあること、当局の対策が取られているにもかかわらず治安回復の兆しが見えないことも明記されている。

とくに危険なのは陸路の移動であり、国境付近や山岳地帯などは犯罪組織の根城となっていることからも、部外者が無傷で通り抜けることは難しいという。

かといって市街地が安全ということでもない。メキシコのティファナ、ロスカボス、シウダー・ファアレスなどは、以前から世界的に危険な街とされている。

首都であるメキシコシティ周辺は比較的安全とされていたが、近年は事情が変わってきている。2020年7月には、市の治安責任者の乗った装甲仕様車が銃撃された。攻撃を受けたアルフッシュ治安庁長官は負傷したものの命は無事だったが、警護の2人と、出勤途中の女性が巻き添えで死亡している。

メキシコはもはや気軽に訪れることは難しい無法国家ともいえるのである。

殺人事件発生率世界一 エルサルバドル

内戦で荒廃した国で生まれた犯罪集団

中米の国エルサルバドルは、１９８０年代に起きた内戦のために一時荒廃していた。当時の様子は、オリヴァー・ストーン監督の映画『サルバドル　遙かなる日々』（１９８６年）でも描かれている。約12年続いた政府軍とゲリラの戦いは、７万５０００人以上の犠牲者を出し、全土に大きな傷跡を残した。

その後、エルサルバドルには平和が訪れたが、一方で青少年凶悪犯罪集団マラスが、国民を新たな恐怖に陥れている。

マラスとは、当局がテロ組織と認定した組織であり、マラ・サルバトゥルーチャ（ＭＳ13）、マラ18Ｒ（Ｍ18Ｒ）、マラ18Ｓの三大勢力に分かれている。マラスはエルサルバドル以外にもホンジュラスやグアテマラなどで国をまたぐ活動をしている。

人口わずか６６４万人のエルサルバドルだが、その殺人発生件数は世界屈指の多さであり、1994年から2018年にかけて世界第1位を15回、それ以外でも5位以内にとどまり続けている。直近では2015年から1位の座を譲っていない。2018年の人口10万人当たりの殺人発生率は52・2人で、2位のジャマイカの43・85人を大きく引き離している。

この殺人件数の多さの背景には、銃の所持を許可する法律がある。エルサルバドルでは21歳以上の国民は、申請さえすれば誰でも合法的に銃を所持することができるのだ。

誰もが簡単に銃を持てる社会で、青少年の犯罪集団が力を持ってしまえば、犯罪の連鎖を断ち切ることが難しいのは明白だ。

マラスは幼い子どもを準構成員として組織に取り込んで犯罪の片棒を担がせ、その裾野を広げている。子どもたちにとっては、マラスは生活圏に根づいた共同体の一部であり、当然のように犯罪組織の構成員になるべく育っていくのである。

刑務所に移送されるギャングの一員(写真提供:AFP＝時事)

政府や警察当局が対マラス措置としてさまざまな施策を試みているものの、かえってマラスからの報復行為が激化するという悪循環に陥っており、先行きは不透明なままだ。

信号無視したほうが安全なこともある

マラスによる犯罪は全土で多発しているが、特に犯罪が多いといわれているのが首都サンサルバドルである。

サンサルバドルでは、国内で起こる殺人事件の約3分の1が発生しているという。なかでも特に治安が悪いのが、旧市街であるセントロ地区だ。ここはマラスの巣窟ともいえる危険極まりない場所で、国内の強盗や窃盗事件の約4分の1が集中している。付近のショッピングセンターや公園がある一帯では、昼間でも殺人や強盗、傷害、性犯罪、麻薬の売買といった凶悪事件が頻発している。

また中央市場はマラスの内部組織の縄張りを分ける境界線に位置しており、市場で働く人たちが抗争に巻き込まれたり、マラスと警察の間で銃撃戦が起きたりすることが日常的な光景だ。

　セントロ地区には若者に人気の格安ホテルやカテドラル（大聖堂）などの有名な観光名所もあるが、夜ともなれば地元の人ですら近づかない。のん気にカメラで記念撮影などしていれば、強盗に銃で脅され、カメラはもちろんのこと金銭や貴重品を奪われる可能性も高い。

　万が一被害にあった時には日本大使館に駆け込むことになるだろうが、その時も油断してはいけない。大使館周辺もけっして安全ではないからだ。

　２０１５年７月、日本大使館のそばで車両強盗事件が発生した。午後７時半頃、車を運転していた男性が赤信号で停止したところ、２人組が現れ、男性の頭部に拳銃を突きつけたという。そして、車から降りた男性の体を念入りにチェックし、サイフや身分証明書、携帯電話などを奪ったうえで、男性が乗っていたトヨタ車で逃亡した。

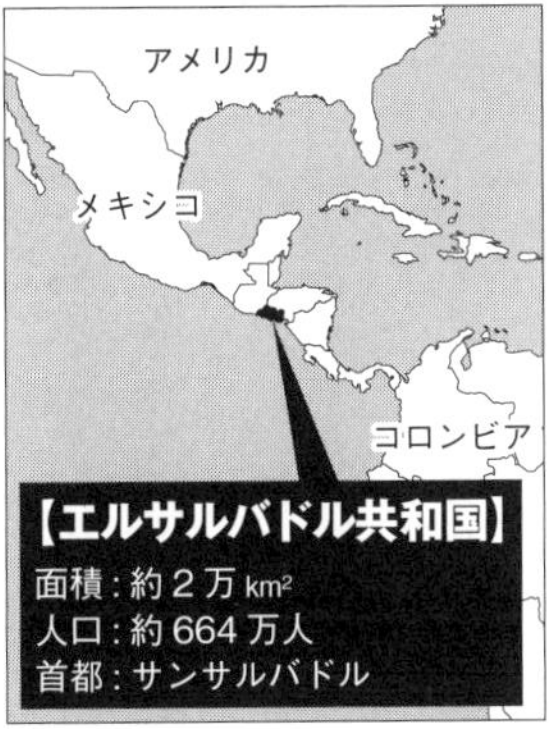

　治安の悪い地域では、交通ルールを守って赤信号で停止すると、その瞬間を狙っていた強盗に襲われることがある。ルールを守っていては、身の安全を守れないこともあるのだ。

少年犯罪集団が支配する ホンジュラス

1日に平均11人が殺されている

かつて世界で一番治安が悪いといわれていたのが、ホンジュラスである。

国連薬物犯罪事務所によれば、２０１２年の人口10万人あたりの殺人発生率はホンジュラスが90・４人で、世界1位となっている。日本では１人未満であることを考えれば、その異常さがわかるだろう。

２０１４年に発表された「世界で最も危険な都市ランキング」でも、ホンジュラスの都市サン・ペドロ・スーラでの10万人あたりの殺人事件発生率は１８７人を超えており、ダントツの1位である。

近年では殺人事件発生率は減少傾向にあり、２０１９年には10万人あたり43・６人と大幅に改善している。それでも、１日に平均11人が殺されているという状況はけっして楽観できるものではなく、依然として安心して暮らせる状況ではない。

独特のポーズをとるマラスのメンバー（写真提供:AFP＝時事）

家族と縁を切って生きるギャング団

ホンジュラスの凶悪犯罪の多くには、青少年の凶悪犯罪集団であるマラスが関与している。

マラスはエルサルバドルの項でも登場した武装ギャング団で、麻薬の密輸を牛耳る麻薬組織でもある。

構成員は若者が中心だ。ほとんどが貧困家庭の出身で、学校も卒業していない。彼らは身体や顔にマラスのメンバーであることを示す独特の入れ墨をしている。

入れ墨には組織内での地位の高さや、所属しているグループ、殺された仲間の名前なども入れられていて、消すことは厳禁となっているという。

独特のハンドサインで意思の疎通をはかり、家族とは縁を切って、厳格な規律のもとで閉鎖的な社会を築いている。一度でも組織に入れば死ぬまで脱退できず、裏切れば殺されるのだ。

ストリートチルドレンを使った殺人

ホンジュラスは、南米のコカイン生産地帯からアメリカへの密輸のルート上にある。そのため、南米から北米へ密輸されるコカインの約80%がホンジュラス経由といわれており、マラスはこれらのルートを押さえて莫大な利益を上げている。

こうした状況のなかで、麻薬取引のトラブルによる殺人や組織間の抗争による殺人が後を絶たない。

また、マラスは縄張り内にある商店やバス、タクシーなどから「みかじめ料」を脅し取っている。みかじめ料とは、その組織の縄張り内で営業している商店などに、営業を認める対価として支払わせる金銭のことだ。支払いを拒否した店主やバス・タクシーの運転手が殺されるという事件も頻発している。

マラスは営利誘拐もビジネス化していて、政治家や富裕層をターゲットにすることも珍しくない。高額な身代金を支払いさえすればすぐに解放されるが、支払いを拒否したことによる殺人や放火事件も発生している。

誘拐事件が起きても被害者側はマラスからの報復を恐れて警察に届け出ないため、事件は公になることなく闇に葬り去られるのである。

さらに、マラスにとっては殺人ですら金儲けの商売になっていて、殺人そのものを請け負うことも少なくない。実行犯には少年法が適用される子供を使い、組織のネットワークを駆使して対象の人物を殺害する。

ホンジュラスには、貧困のために路上生活を余儀なくされる子供たち、いわゆるストリートチルドレンが多い。マラスはそうしたストリートチルドレンに目をつけ、行き場のない

ゴミ山のそばに集まったストリートチルドレン（©David Martin Davies/CC BY-SA 2.0）

彼らを犯罪者の仲間に引き入れてどんどん勢力を拡大しているのである。

警官が密輸や殺人を請け負う

国土の南西部にあるコルテス県の県都であるサン・ペドロ・スーラは、首都に次ぐホンジュラス第2の都市である。

コルテス県はホンジュラスでもっとも危険な場所であり、同国で起きる殺人事件のおよそ7割はサン・ペドロ・スーラ市およびチョロマ市で起きている。

サン・ペドロ・スーラにはマラスの構成員が多く、殺人や強盗、誘拐などの悪事が昼夜を問わずに繰り広げられている。外国人が狙われるケースも増えていて、2013年には観光中のイギリス人旅行者が強盗グループに襲われ、金品を奪われたうえに射殺されている。

頼みの綱といえる警察はどうしているかといえば、闇の資金を潤沢に持って武器や人員をどんどん補給するマラスとは逆に、予算がなく、人員も不足していて、報復を恐れている。マラスの凶悪な犯罪を前にして、まったく歯が立たない状況なのだ。

そのうえ、警察内部の腐敗は深刻な状況になっていて、汚職に手を染めてマラスに加担する警察官も数知れない。挙句の果てには、誘拐や窃盗どころか殺人を請け負う警官までいて、２０１１年には学生２人の殺害容疑で警官４人が逮捕されている。また、麻薬組織の家宅捜索で発見された現金を捜査員が横領するなど、警官に対しても犯罪組織同様の警戒心を抱かなければないのが実情なのだ。

取り締まりの強化によって犯罪組織の構成員が刑務所に収容されても、その内部で衝突や殺人が頻発しており、事態は制御不能ともいえるほど悪化している。

まさしく無法地帯と化しているこの国が、世界トップレベルの危険な場所であることは間違いない。

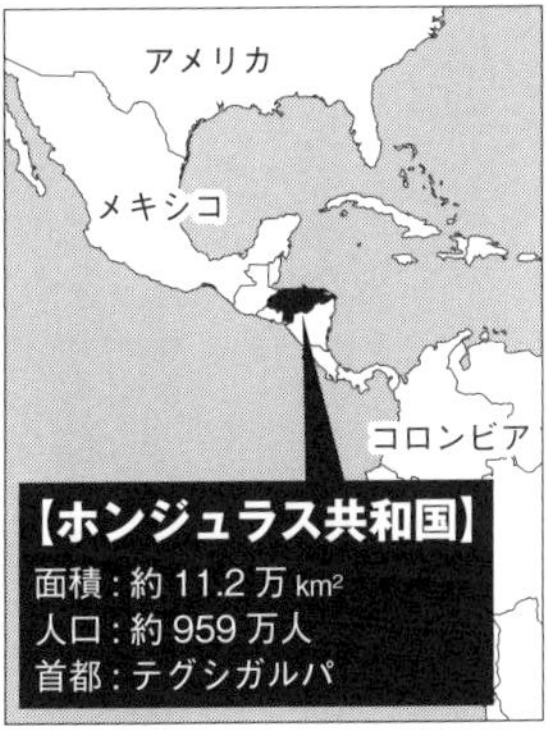

外務省からも同国内の半分以上の地域に対して「不要不急の渡航中止」を求めるメッセージが出ている以上、けっして安心して歩ける場所ではないのである。

グアテマラ

内戦時代の銃器が大量に出回っている

中米最多の違法拳銃が出回る

グアテマラは、メキシコの南に位置し、コーヒー豆やバナナの産地としても名を知られる。そして、その治安の悪さは、他の中米諸国と同じく深刻な状況だ。

２０１８年に犯罪被害により亡くなった人の数は、３８８１人になる。そのうち、銃で殺害された人は８割にものぼる。

銃犯罪が多発する原因のひとつが、グアテマラでは国民が銃を持つことが認められていることだ。しかも、国連などの推測によれば、正規の銃の数よりはるかに多い違法銃器が出回っているという。

グアテマラでは、１９６０年から１９９６年までの30年以上にわたって、軍事政権と左翼ゲリラなどの間で内戦が続いていた。現在、グアテマラ国内に氾濫している銃は、この内戦時代に使われていたものや、軍や警察からの盗品、国外から密輸されたものなどだといわれる。

一時期よりは国全体の犯罪発生件数が減少傾向にあるものの、青少年犯罪集団マラスによる麻薬関連犯罪や、犯罪グループ間の抗争、そして強盗や銃を使用した犯罪の割合は依然として高水準を保っており、合法的な銃よりも違法なもののほうが多く出回っている状況にも変わりはない。

銃を手に警備するグアテマラシティーのガードマン（©sikeri）

2代続けて強盗に殺された日本人親子

首都グアテマラシティーのあるグアテマラ県の犯罪発生率は全体の約4割と高く、銃による事件も頻発している。

２０１２年にはグアテマラシティーで、現地で会社を経営していた日本人の男性が強盗に銃で撃たれて死亡するという事件が起きている。

被害者の日本人男性はＡＴＭで現金を引き出

したあと、車で移動中に3人組の強盗グループに車を停車させられ、現金を要求された。そこで抵抗したところを撃たれてしまったのだ。

強盗グループはATMに立ち寄った時点から、被害者に目をつけていたとみられる。じつは1994年には、この事件の被害者の息子もグアテマラ市内の銀行を出たところで強盗に襲われて亡くなっている。当時16歳だった。グアテマラでは、目立つ外国人は昼夜を問わず少しも油断できないのである。

また、金銭目的ではなく、日本人を標的にした殺人事件も起こっている。2018年、グアテマラ北部のペテン県にある住宅に何者かが押し入り、住人の日本人女性2人が石で殴られ、一人は死亡、もう一人も頭蓋骨骨折の重傷を負ったのである。

室内が荒らされた形跡がないため、犯人は殺害目的で犯行に及んだとみられているが、いまだにつかまっていないため、その動機を含めた真相は明らかになっていない。

頻発する「ケチャップ強盗」

グアテマラでは、バスやタクシーに乗るのすらも安心できない。徒歩で移動するのはもっとも危険だが、だからといって流しのタクシーに乗れば高い確率で強盗被害にあうことになる。タクシーを利用するなら大きなホテルの前につけているタクシーや、無線や料金メーターのついたタクシーを選ぶといい。

また、路線バスの中でも強盗やスリが多発している。夜間や早朝の便などは狙われやすく、長距離バスでは居眠りしている時に目をつけられて被害にあうという。

特にグアテマラ市内の赤バスはマフィアの管轄下にあり、外国人がこれに乗るのはかなり危険な行為である。バスの発着所でも、「ケチャップ強盗」といわれる強盗グループが出没し、旅行者にわざとケチャップをつけ、拭いているフリをしてスリを働く。利用するならシャトルバスや一等バスなど、比較的安全といわれるバスを調べて乗るべきだ。

グアテマラでは、常に危険と隣り合わせだということを肝に銘じておく必要がある。

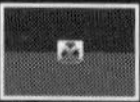

大地震後に悪化した治安が改善されない
ハイチ

大地震による壊滅的な被害

カリブ海と聞いて、リゾート地の青い海、白いビーチなどを想像する人は多いだろう。実際、カリブ海に浮かぶイスパニョーラ島にはリゾート施設が立ち並び、欧米からの観光客が数多く訪れている。

ただし、それは島の東半分を占めるドミニカの話である。同じ島の西側にあるハイチでは、現在まったく違う光景が広がっているのだ。

ハイチは、世界で初めての黒人による共和制国家だ。しかし、１８０４年に独立してから現在に至るまで混乱が続いている。経済は低迷しており、正確なデータはないものの失業率は70％近いとみる人もいる。

そこに、２０１０年１月12日、マグニチュード７・０の大地震が起きた。この大地震は首都ポルトープランスを直撃し、死者の数は31万６０００人にのぼったといわれる。

地震によって生き埋めになった人を救出する様子(©DVIDSHUB)

さらに、150万人が負傷、同じく150万人が家を失った。

街のインフラや建物も壊滅的な被害を受けたことが決定打となり、ハイチはさらなる貧困のどん底に叩き落とされたのである。

電気は止まり、路上や川はゴミであふれるなど、衛生面での問題が特に深刻で、現地で活動するボランティアは、本来の仕事のほかにもみずからを守るために気をつかわなければならなくなったのである。

PKO部隊がコレラをもたらす

ハイチの復興は、地震から10年を経ても思うように進んでいない。それどころか、地震後も追い討ちをかけるように巨大ハリケーンが襲来したり、コレラなどの疫病が蔓延するといった事態になっているのだ。コレラによる死者は約８３００人以上で、罹患した人は65万人以上にもなる。

しかも、皮肉なことに、もともとハイチにはコレラ菌が存在せず、コレラ菌をハイチに持ち込んだのは地震後の復興支援のためにハイチ入りした国連のＰＫＯ（平和維持活動）部隊だったのだ。

こうした災難続きのハイチでは、主要都市を中心に殺人事件や誘拐事件などへの不安も尽きない。震災直後に略奪や誘拐、レイプなどが横行して治安が最悪レベルだったことを考えると、治安当局の活動で現在は少し落ち着いているといえる。

しかし、それでも銃を簡単に入手できることなどから、富裕層を狙った強盗殺人なども起きている。誘拐は身代金目的のものがほとんどで、外国人がターゲットにされることも多いのだ。

不衛生な状態での難民暮らし

大地震から10年がたっても３万人以上が電気もなく、衛生状態も劣悪な間に合わせの住宅で暮らしているといわる。

駐在していた国連平和維持活動軍は、国内の治安は一定程度回復したとして2017年に撤退した。しかし、国民の6割は1日2ドル60セント以下で暮らしており、貧困状態はまったく改善していない。

それどころか、モイーズ大統領の求心力が低下したことが政治的な混乱を招いており、結果的に警察が力を弱め、犯罪組織の傘下にある政治家たちがその犯罪行為を黙認して虐殺事件が起きるなど、国内の治安は最悪の状態にあるといえるのだ。

大地震が起きたことで、ハイチの窮状が注目されて国際的な援助の手が差し伸べられたが、時間の経過とともにその支援はなくなってしまっている。

ビーチリゾートでバカンスをを楽しむ島の反対側では、ハイチの人々が苦境にあえいでいることを忘れてはならないのである。

ニカラグア

子供が相手でも油断できない

犯罪の実態を把握することさえ難しい

ニカラグアには、電気や水道といった基礎的なインフラさえも整備されていない地域も多い。２０１９年のＩＭＦ（国際通貨基金）の調査では、アメリカ大陸で2番目に貧しい国とされた。

そうした貧困を背景に、危険はいたるところに潜んでいる。国全体の危険度は年々改善傾向にあり、２０１７年の犯罪認知件数は前年比マイナス17・5％の８万92件となっている。

とはいっても、首都マナグアのあるマナグア県で犯罪が多いこと、さらにホンジュラスとの国境沿いの山岳地帯や、北カリブ海沿岸の高山地帯で麻薬密売を手掛ける武装集団と当局の銃撃戦が多発していることなどを考えれば、「安全」とはほど遠い状況にあることは変わりない。

街角では、犯罪グループの襲撃を防止するため、警備員や警察がライフル銃や散弾銃を構えている姿が見られる。

このような風景が常態化していることからも、この国で日常的に凶悪犯罪が起こっていることをうかがい知ることができるだろう。

マナグア発着のバス（©Mbhskid520）

実際に、銃による殺人や強盗、レイプが頻発していて、特に首都であるマナグアでは国内の犯罪の約4割が発生している。

なかでも、マルサ・ケサダ地区は旅行者の強盗被害が多いところだ。

ここには国際バスが発着し、観光案内所もある。バックパッカー向けの格安ホテルも多い地区なので、訪れる旅行者も多い。

しかし、そんな旅行者を強盗グループが網を張って待ち構えているのだ。夜間はもちろん、日中でも襲われる危険性は高い。

このエリアでは、日本人が被害にあうケースも毎年のように報告されているから要注意だ。

タクシーやバスの中で金品を奪われる事件も多発しているため、バスやタクシーを利用するのにも十分な警戒が必要なのだ。

パンディージャス、山賊、地雷の恐怖

また、「パンディージャス」と呼ばれる少年犯罪グループによる犯罪も多発している。パンディージャスとは少年犯罪グループを広義に指す呼び名で、中米を中心に暗躍しているマラスもパンディージャスのひとつだ。

グループ間の抗争で報復殺人が行われることも多く、その場にいれば巻き込まれる危険もある。

街中で中学生や小学生くらいに見える少年が近づいてきたら要注意だ。相手は子供だからと油断していたら、その少年がパンディージャスの一員で、いきなりナイフを突きつけられるという可能性も、ニカラグアでは否定できないのである。

この国はまた、山岳地帯も危険にさらされている。山賊による強盗や殺人、強姦事

件に加え、地雷の恐怖まであるのだ。

ニカラグアでは、1979年から約10年にわたって内戦が繰り広げられた。その間、激戦地だったホンジュラスとの国境地帯から北部山岳地帯を中心に、14万個以上ともいわれる対人地雷が埋められたのである。

現在では日本企業が開発した地雷除去機の導入もあって地雷除去作業が進み、ほとんどの地雷が除去されたといわれているが、北部山岳地帯にはまだ多数の地雷が残っているといわれている。

地雷の寿命は50年といわれているから、油断はできない。地元住民も日々、地雷の危険と隣り合わせに過ごしているのだ。

ニカラグアの貧困が解決され、人々が安全に暮らせるようになるまでは長い道のりになりそうだ。

2人の大統領が並び立つ ベネズエラ

犯罪組織を野放しにした前大統領

南米の国ベネズエラは近年、まれに見る政治的混乱の中にある。2018年以来、ニコラス・マドゥロと、フアン・グアイドという2人の大統領が並び立っているのである。

ベネズエラでは2013年まで、カリスマ的人気を誇っていたチャベスが大統領の任にあった。チャベスは社会主義の名のもとに企業や農場・不動産などを国有化し、貧困層に還元するという経済政策をとっていたが、その一方で、貧困層に多いギャングや犯罪組織の蛮行が野放しにされた。

犯罪行為が黙認された状態で治安は悪化の一途をたどり、ギャング団が富裕層の家に押し入って占拠するという事件が頻発した。警察の力は弱く、政府は支持母体である貧困層の味方だった。犯罪集団を止めるものは何もなかったのである。

２０１３年にチャベスが死亡したことで、後任としてマドゥロ大統領が就任し、経済政策をはじめとする国策を引き継いだ。

しかし、従来の政策が主要産業である原油業界の国際競争力を失わせ、原油価格が暴落したことで、ベネズエラ経済は悪化した。インフレ率は加速度的に上昇し、２０１５年に３桁を超えると悪化のスピードはさらに速まる。自国の貨幣ボリバルはどんどん価値をなくし、デフォルトに陥ったギリシアの轍《てつ》を踏むのではという見方が濃厚になっていったのだ。

右：ニコラス・マドゥロ（©Eneas De Troya/CC BY-SA 4.0）
左：フアン・グアイド（©Leo Alvarez/同上）

このような状況では通常の経済活動すらままならない。事実、実業家や富裕層は相次いで国外へ脱出した。その結果、国内の経済状況はますます悪化し、治安も悪化するという負のスパイラルに陥ったのである。

経済的に困窮し、日常物資にもこと欠く生活に市民たちも不満を募らせていった。人気があったチャベス大統領の下ではあまり広がりをみせなかった市民たちの反政府の動きが一気に盛り上がったのである。

マドゥロ大統領の強引な再選が溝を深める

ベネズエラの状況が悪化するきっかけになったのが、2018年5月に行われた大統領選挙だ。2期目を狙うマドゥロ大統領が、反対派のリーダーを政治的に排除したうえで選挙を行うという暴挙に出た。

当然、この行為を認めないとして野党は選挙をボイコットし、国際的な非難も集まった。それでもマドゥロ大統領は強引に選挙を行って再選され、2019年1月に就任式を行ったのである。

野党はこの就任が憲法違反だとして、法令に従って国会議長のグアイドを暫定大統領とした。

国際社会も真っ二つに割れた。ロシアや中国、キューバ、トルコ、シリアなどの国はマドゥロを支持している。グアイドを支持するのは、米国、EU諸国、オーストラリア、日本などの自由主義陣営だ。

２０１９年２月には国連安全保障理事会でロシアとアメリカがベネズエラ情勢について対立する決議案を出すなど、代理戦争といった様相を帯びている。

見せかけの犯罪認知件数減少

政治的混乱は、当然の結果として治安や経済をさらに悪化させている。ベネズエラ政府が発表した２０１９年のインフレ率は７３７４％と途方もないレベルに達しており、経済苦にあえぐ国民の1割以上が国を捨てた。国内の栄養事情も悪化の一途をたどっており、２０１９年には1ヵ月半で29人の子どもが栄養失調で亡くなった。

そんな状況にもかかわらず、マドゥロ大統領は国際社会の支援を拒んでいる。「国内の人道的危機は存在しない」というスタンスを崩さないのだ。

反対に、グアイド暫定大統領は米国などの支援を要請したが、マドゥロ大統領の命を受けた治安当局や政府側のギャング団に阻まれて、発砲沙汰になったうえに犠牲者が出てしまった。

実はベネズエラの犯罪認知件数は２０１６年をピークに減少している。しかし、こ

バイクに乗った武装ギャング「コレクティボス」(©Joka Madruga)

れはあくまでも見せかけの数字で、治安回復によって犯罪が減ったわけではないというのが大方の見方だ。

国外に避難する人が増えて人口が減少したこと、犯罪組織の力が強くなったことで市井《しせい》の人々が萎縮し、犯罪組織以外の犯罪が抑止されたこと、新型コロナウイルスの蔓延によって人と人との接触が少なくなり犯罪のターゲットが減ったことなどが犯罪の数自体を減らしているというのである。

政府系の民兵がデモを先導する

目下のところ国民の不満は高まっており、市内はいたるところで暴動が起きかねない不安定な情勢だ。

都市部を中心に軍人や武装勢力、市民によるデモが繰り返されており、政府系の民兵であるギャング集団の「コレクティボス」が市民に紛れて街中のいたるところにいて、デモを扇動して発砲を繰り返しているという。

肝心のマドゥロ大統領はこれを取り締まるどころか、支持母体として擁護する立場をとったため、混乱が収まる気配は見えない。

2020年12月には野党のボイコットの結果、選挙によって国会の9割の議席をマドゥロ大統領側が掌握し、司法と行政に加えて立法機関も手中にしたことで独裁色を強める結果となった。

選挙の正当性を認めない野党側、さらには米国をはじめとした国際社会との対立が、混迷するベネズエラ情勢をさらに悪化させる懸念が強まっている。当面は、政局から目が話せない状況が続くだろう。

市街地で爆弾テロが起こる コロンビア

市街地で相次ぐ爆弾事件

外務省の海外安全ホームページを見ると、南米の国コロンビアは、全域にレベル１からレベル２、場所によってはレベル３の危険情報が出されている。レベル２は不要不急の渡航中止、レベル３は渡航中止の勧告を意味している。

国土の中央部にある首都ボゴタも例外ではなく、「十分注意してください」となっている。というのも、ボゴタではしばしば爆弾事件が起き、死傷者が出ているからである。

市街地では毎年のように爆弾テロが起きているのだが、２０１９年1月に起きた大規模な爆弾テロでは、警察学校がターゲットにされ、実行犯を含む21名が死亡、68名が負傷するという大きな被害が出た。

爆弾テロを起こしている組織として筆頭にあがるのが、国民解放軍（ＥＬＮ）という名のゲリラ組織だ。ＥＬＮは、海を挟んだ隣国キューバで起きたキューバ革命に触発されて設立された左翼組織で、誘拐やパイプラインなどへの攻撃を行ってきた。

コロンビアでは、50年以上にわたってELNのようなゲリラ組織による事件が続いており、人々は住み家を追われ、苦難を強いられてきたのである。

２０１6年までのコロンビアの国内避難民は約７２０万人で、シリアの約６３０万人を抜いて世界第1位となった。故郷を追われた人々は、都市部に逃れて路上生活を送ったり、さらに奥地に逃れてゲリラ組織に取り込まれたりしている。

街角に掲示されたELNのロゴ（©Julián Ortega Martínez/CC BY-SA 2.0）

撤去が難しい地雷

コロンビアで活動するゲリラ組織の中でも、前出のELNとコロンビア革命軍（FARC）の勢力は大きく、爆弾テロや誘拐などを繰り返して政府軍を攻撃してきた。

FARCは、中南米で最大規模の共産主義系の武装組織で、麻薬の密輸や誘拐・殺人はもちろんのこと、迫撃砲による攻撃なども行って勢力を拡大してきた。

またFARCは、世界のテロ組織の中でももっとも多くの地雷を使用してきたといわれている。

コロンビアの地雷の特徴は、ペットボトルなどのプラスチックを利用して作られているものが多いことだ。そのため、金属探知機での発見が不可能で、除去は困難を極める。死傷者は1990年以降で1万人以上にのぼり、そのうちの1000人以上が子供だという。

2016年には、コロンビア政府とFARCとの間で和平合意がなされ、取り決めによってFARCが合法的な政党として国会に議席を得ることとなった。

しかし、FARC内部は一枚岩とは言えず、治安部隊への攻撃や麻薬取引を続ける勢力もある。FARCはこれらの勢力とは一切関係がないという立場をとっているが、2018年にFARCとの和平合意の条件の見直しを公約に掲げたドゥケ上院議員が大統領選に勝利すると再び状況は不透明となり、2019年には元幹部が政府との武力闘争に復帰すると宣言をするなど、混乱状態は今なお続いている。

ターゲットにされる日本人

また、日本人も誘拐の対象となっていて、過去には現地の日本人農場経営者や電機メーカーの社員などが誘拐される事件が発生している。

そして２０１６年11月には、世界一周中だった日本人の大学生が強盗に遭い、命を落とすという悲劇が起きた。

２０１８年にコロンビア国防省が発表したデータによれば、２０１８年１月から10月に起きた殺人事件の発生数は人口10万人あたり21・２人であり、10年間で40％の減少になっている。同時に誘拐やテロなどの発生件数も減少傾向にあるということで、一定の治安改善が見られるようだ。

とはいっても、政府とＦＡＲＣとの交渉はいまだ完全に合意に至っておらず、いつ危険度が急上昇してもおかしくないことは忘れてはいけないだろう。

エクアドル

凶器を使った犯罪が頻発する

狙われる外国人観光客

エクアドルは、南米の西側に位置する国である。南太平洋沖１００キロメートルの距離にガラパゴス諸島があるため、首都キトや港湾都市グアヤキルを経由して、南国の楽園ガラパゴスをめざす観光客も多い。しかし、じつはエクアドルは、楽園への入口というイメージとは異なる裏の顔を持っている。

たとえば、首都キトとグアヤキルを中心にしたエリアでは、外国人観光客を狙った犯罪が多発しているのが現状であり、外務省からも路上強盗やタクシー、バスなどを利用する際には十分注意が必要だという勧告が出されている。

長距離バスで移動中に携行品をすべて奪われる、道を歩いていたらスリに遭うといった窃盗事件ならまだ被害は軽いほうだといえるだろう。旅行中の日本人が背後から襲われてカバンなどを奪われ重傷を負ったり、ショッピングモールの駐車場で銃を突きつけられて現金を奪われるといった、銃やナイフを使用した凶悪な犯罪が日常的に起こっているのである。

狙われた新婚旅行中の夫婦

２０１３年12月、グアヤキルを新婚旅行で訪れていた日本人夫婦が銃撃され、夫が命を落とした。市内のレストランで夕食をすませた後、流しのタクシーに乗り込んだところ、後をつけてきた８人組に現金や携帯電話を奪われたうえ、銃撃されたとみられている。

夫妻が遭遇したのは、エクアドルの都市部をはじめ、中南米の都市で横行する「特急誘拐」をもくろんだ犯行である可能性が高いという。

特急誘拐は、中南米ではメジャーな犯罪手口のひとつだ。地元の富裕層や観光客を一時的に拉致

夜のキト（©Anthony Albright/CC BY-SA 2.0）

し、被害者にＡＴＭで現金を下ろさせたり、その場で家族に連絡をとって身代金を要求したりする。犯行がスピーディなのが特徴で、専門の犯罪組織も多く存在するという。

外国人が特に警戒しなければならないのが、流しのタクシーの利用である。運転手が犯罪組織とつながっていることも多く、通りで客を乗せた運転手が共犯者と連絡をとって犯行に及ぶというケースが多いという。

日本の外務省や各地の大使館からも、「営業許可を取得したタクシーを利用すること」「一流ホテルやタクシー乗り場のタクシーを利用すること」という注意喚起がなされているほどだ。

国境の町ウルビーナの風景。コロンビアとの国境にはこのような入国管理を回避できる場所もあるようだ。

国全体で見れば、近年は殺人事件の発生は減少傾向にあるようで、一定の治安は回復したという向きもある。とはいっても、外国人にとっては相変わらず警戒が必要な状況であることには変わりはない。

コロンビアとの国境付近は武装勢力の巣窟

さらに、エクアドルでは、隣国コロンビアとの国境付近での反政府ゲリラ組織などの活動が長年の課題となってきた。武装化した反政府組織の犯罪が多発しており、2018年にはエスメラルダス県サン・ロレンソ市とその国境付近で、反政府武装組織による銃撃や爆弾事件、民間人の誘拐殺人事件が起きるなど、多数の犠牲者が出ている状態だ。

日本の外務省からも、陸路での出入国を避けること、国境付近には近寄らないことが勧告されている。

観光地としての顔につい警戒を緩めてしまったら簡単に犯罪の被害者になってしまうのがエクアドルの現状なのである。

コンゴ民主共和国

兵士が武器として性暴力をふるう

人々に恐怖を植えつける手段としてのレイプ

何の前触れもなく、いきなり知らない男が家に入ってきて、女性を力ずくでレイプする。そんなことが日常的に起こっている国がある。アフリカ大陸中央の国、コンゴ民主共和国だ。

アフリカ大陸で2番目に広大な面積を持つこの国は、日本の外務省により危険な地域とされている。中南部のカサイ3州と東部地域は「退避勧告」、中央アフリカとの国境地帯には「渡航中止」が、そしてほかの地域にも「不要不急の渡航中止」というメッセージが出されている。

国連人口基金（ＵＮＦＰＡ）によると、１９９８年以降、推定20万人以上の女性が被害に遭っており、２０１２年だけで2万人以上の女性が性暴力の被害に遭っている。目の前で家族を殺された挙句にレイプされ、その後、そのまま男たちに連れ回されて欲望の対象にされてしまう被害者も少なくない。

被害は少年や老女の間でも広がっている。性別や年齢も関係なく、買い物や農作業の最中など、日常生活のいたるところで起こる。そのため、コンゴの多くの人々は、あらゆる場所でつねに恐怖や不安と隣り合わせに暮らしているのだ。

しかし、レイプ加害者は、まさにそれを狙っている。というのも、そもそも目的は、社会的弱者に恐怖を植えつけることにあるのだ。

不安そうな表情のコンゴの女性たち

兵士たちが使う「安価な武器」

その原因は、戦争である。レイプ犯の多くは、じつは兵士たちなのだ。

1996～1997年にかけて行われた第1次コンゴ戦争では、政府勢力と反政府勢力が戦闘状態となった。続いて1998～2002年に起きた第2次コンンゴ紛争とその後続いた混乱の中でも、約600万人の犠牲者を出した。

隣国ルワンダの民族紛争に端を発したこの紛争はアフリカの歴史上最悪のものであり、民族や政治、資源の奪い合いなどの複雑な要素が絡んでいる。虐殺やレイプ、子供の誘拐など、「ジェノサイド」と特徴づけられる行為が行われた、世界的にみてももっとも非人道的なものだった。その犠牲者の数は、ひとつの内戦による死者としては史上最多といわれる。

さまざまな武器によって人の命が奪われた内乱で、とくに一般市民に向けられた暴力がレイプだった。

武装した兵士たちが村を襲い、集団で女性をレイプするという事件は毎日のように繰り返された。家族や隣人の前で傷つけられ、泣き叫ぶ女性の姿は、コミュニティ全体を恐怖におののかせる。その恐怖こそが武器になるのである。

レイプは、被害者の体と心を傷つける。ときに内臓も傷つくような暴力にさらされた女性たちは、子どもを産めなくなり、働けなくなる。夫以外の男性と関係を持ったとして、理不尽に村から追い出される女性も多かった。

兵士が自分の身ひとつでできる「安価な武器」であるレイプによって地域社会全体を破壊することで、兵士たちは勢力を拡大することになるのである。

それだけではない。レイプはエイズの脅威もまき散らした。

現在、紛争による被害が特に多いコンゴ東部では、人口の約15%がエイズ患者だといわれているが、その原因は日常的に繰り返されるレイプ犯罪なのである。

このような状況の中で国が発展するはずもなく、極貧の生活を強いられる人々が増え、国力は弱まる一方だ。貧しい人々は医療機関に行くこともできないためにエイズ対策は進んでおらず、感染者は増加するばかりだ。

ノーベル平和賞の受賞後も続く困難

2018年、コンゴにとって一筋の光となり得るニュースがあった。性暴力を受けた女性の治療を続けてきた婦人科医のデニ・ムクウェゲがノーベル平和賞を受賞したのである。

ムクウェゲ医師が主張しているのは、「レイプは性的テロリズム」であるということだ。

女性を傷つけ、コミュニティ全体に恐怖を植えつける行為で、武装集団は地域の支配権を手に入れる。レイプが多発する地域は、コンゴの重要な資源であるスズ、タングステン、金などを豊富に産出する地域と重なっているというのがムクウェゲ医師らの主張であり、支配下に置いた人々を過酷な鉱山労働に従事させることで、武装勢力は利益を得ているのだという。

ムクウェゲ医師のノーベル平和賞受賞により、それまで注目されてこなかったコンゴの性暴力の深刻さが世界中のメディアにつまびらかになった。

2018年には国を追われた難民が81万人、故郷を追われた国内避難民にいたっては450万人発生した。もはやコンゴ内部に限った問題ではない。

国際組織への不信感

周辺各国、さらにはコンゴの鉱物資源の恩恵を受ける大国も無関係とはいえない状況であり、内乱状態の解決には国際社会の介入は不可欠だ。

しかし、現地の人々の間には、国際組織に対する不信感が強い。

コンゴには過去にも多くの問題が存在し、人々は助けを求めていた。国連安全保障理事会も一時は平和維持部隊をコンゴに駐留したのだが、駐屯地のすぐ近くで大規模な集団レイプが起きたときに何の対応もせず、被害を食い止めることができなかった。

また、国際刑事裁判所（ＩＣＣ）もコンゴ東部の性暴力加害者を１人も起訴していない。このような状態では、抑止力になったとは言いがたい。

それなのに、２０２０年の新型コロナの感染に際しては、感染拡大防止のための措置を迅速に行っている。

このような活動が現地の人々の目に「肝心な時に助けてくれないのに、自分たちに火の粉が降りかかりそうな時には素早く動く身勝手な奴ら」と映ったとしても仕方がないかもしれない。

新型コロナに加えて、エイズ、コレラ、エボラ出血熱などの流行も頻発する状況のなか、すでに派遣されている国連平和維持活動軍をはじめとした援助機関や世界各国のＮＰＯの活動で、住民の信頼を得て、治安を回復することができるのかが注目されている。

国全体に退避勧告が出ている 中央アフリカ

残酷すぎてニュースにならない事件が起こる国

名前の通りアフリカ大陸のほぼ中央に位置する中央アフリカ共和国は、日本の外務省の海外安全ホームページに掲載されている地図上で、全域を「退避勧告」を示す赤に塗られている。

世界には情勢が不安定な国が多いとはいえ、このように一国全域が真っ赤になっている国は意外と少ないことを考えると、中央アフリカがいかに危険な状態にあるかがわかるだろう。

アフガニスタンやシリアにも全域に「退避勧告」が出されているが、これらの国の状況については日本のテレビで名前を聞くことができるので、混乱の理由はおぼろげながら伝わってくる。しかし、この中央アフリカについては、ニュースで取り上げられることもあまりなく、内情を知ることが難しい。

反乱軍の兵士(©hdptcar from Bangui, Central African Republic/CC BY-SA 2.0)

ニュースにならない理由のひとつは、残酷すぎて放映できないというものだ。

最前線に立たされる子供たち

中央アフリカの混乱の原因となったのが、2013年にボジセ政権を倒したイスラム系反政府武装組織「セレカ」とキリスト教系武装勢力「アンチ・バラカ」の対立だ。

このクーデターをきっかけに、もともと不安定だった中央アフリカの体制は一気に崩壊し、「幽霊国家」と呼ばれる無政府状態に陥ったのだ。

戦闘地域には少なくとも6000人の少年少女らが誘拐されて連れて行かれ、兵士として訓練されて最前線に立たされたという。重傷を負った少年は殺され、少女らは性的暴行を受けていたのだ。

また、暴行して殺した人の肉を食べたという事件も発生するなど、まさに地獄の様相を呈していたのである。

カメラの前で起こったリンチ殺人

政治でも混乱は続き、クーデターによって大統領になったイスラム系のジョトディア暫定大統領は２０１４年1月に失脚し、国外に逃亡した。そのため、後任には中央アフリカ初の女性大統領サンバパンザが就任した。

彼女は2月、バンギで行われた式典で、政府軍に向けて「暴力を終わらせなければならない」と訴えた。

ところが、その直後に事件が起きた。大統領が去ったわずか5分後に、軍服を着たキリスト教系政府軍の兵士が、イスラム系武装勢力の戦闘員らしき男に襲いかかって惨殺し、さらに遺体を引きずり回して足を切り落としたうえに、首都の路上でタイヤを積み上げて体を焼き払ったのだ。そして、切った足は、その場にいたフランスの平和維持軍の前に放り出したという。

これらの一部始終は、式典を取材していた外国メディアの目の前で起こったため、世界に向けて「かつてない残虐さ」として報道された。

そして恐ろしいのは、このようなリンチ殺人がまったく珍しくないということだ。隣人同士でのリンチや殺人が国のいたるところで行われていたのである。

イスラム系武装勢力の元戦闘員とみられる男性を引きずり出そうとする兵士たち（写真提供:AFP＝時事）

停戦合意直後に起きた戦闘で１００人死亡

その後、２０１６年に選挙を経てトゥアデラ大統領が選出され、なんとか国家としての形を取り戻し、２０１７年には武装勢力との間に停戦合意がなされた。

しかし、平和への第一歩の期待もむなしく、合意直後に戦闘が起こり１００人以上が死亡するという事態になった。宗教や民族の対立、そして資源の奪い合いなど、複雑に絡み合った事情によって続いてきた紛争はそう簡単に解決するものではなかったのだ。

その後、2019年2月には再び政府と反政府組織との間に停戦合意がなされたものの、戦闘はやむことがなかった。

長引く混乱に疲弊し、経済的にも困窮する国民は国を捨て故郷を追われることになる。2021年1月の段階で中央アフリカ難民は63万人、国内避難民も63万人と、100万人以上が避難生活を余儀なくされている。

社会的弱者の筆頭である子どもたちは飢餓に苦しみ、やせ細り、栄養失調や病気で命を落とす。ユニセフなどの国際援助機関が介入しても、国の情勢が改善しない限り解決の道は程遠いのだ。

大統領再選で平和の実現に近づけるか

国際社会は、中央アフリカ共和国の窮状をいわば無視してきた。大国にとって、地理的、政治的にもそれほど関りが深いとはいえない中央アフリカ内部の紛争状態を解決することと自国の利害がそれほど一致しないというのがその背景にあるようだ。

また、そのことが国際ニュースで取り上げられないことのもう一つの理由だといえる。かつての宗主国であるフランスも2016年に国連平和維持活動軍から撤退し、その後さほど積極的な介入を見せていない。

国連は「国連中央アフリカ多面的統合安定化ミッション」（MINUSCA）を展開して、人権保護や治安維持活動を行っているが、必ずしもその成果が出ているとは言いがたい状況にある。

2020年末には大統領選挙が行われ、それを阻もうとする武装勢力との戦闘が起こるなど厳戒態勢のなか、現職のトゥアデラ大統領が再選を果たした。こじれきった国内の対立と、多くの難民という問題を抱え、国内融和をめざすトゥアデラ大統領のもとで荒廃しきった国土に希望を取り戻せるかは、国際社会の協力にかかっているのは間違いないだろう。

テロ組織が凶悪事件を起こし続ける アルジェリア

日本人10名が犠牲になった人質事件

アフリカ大陸最大で、世界でも10番目の国土面積を誇るのがアルジェリアである。人口約４２２０万人のうち、先住民のベルベル人は２割弱で、残りはほぼアラブ人というアラブ系国家だ。

日本人にとってはあまりなじみのない国だったが、２０１３年、人質事件が起こったことで広く認知されるに至った。

事件が起きたのは、アルジェリア南東部にある天然ガスの精製プラントだ。ここを、「イスラム聖戦士血盟団」という名のイスラム過激派グループ40人が襲撃し、そこで働く人々を人質にとった。その中に日本人がいたのである。

過激派グループの要求は、イスラム勢力がテロ活動を行っている隣国マリに対するフランス軍の軍事介入の中止や、逮捕されている仲間の釈放などだった。

人質事件があったガスプラント（写真提供:EPA＝時事）

しかし、アルジェリアがこの要求を拒否したため、過激派グループは人質を殺害した。プラントの建設を請け負っていた日本企業の社員10名も犠牲になったのである。

事件の首謀者とみられるモフタール・ベルモフタールに対しては２０１５年になってようやく逮捕状が出たが、その男はアルジェリア人で、人質をとっては身代金を要求するということを繰り返していたという。

その後、ベルモフタールは米軍が行った空爆で死亡したとされている。

国境地帯はテロ組織の縄張り

都市部では、強盗や誘拐などの犯罪が多発しており、発生件数は増加傾向にあるという。

とくに2019年の大統領選挙にまつわるデモは、選挙が実施された後も続いており、都市部の治安の悪化を招いている。

しかし、なによりも問題になるのは、隣国リビアやマリなどと接する国境地帯が、国際的なテロ組織や武装集団が跋扈《ばっこ》する危険地帯となっているのだ。

アルジェリアでは、イスラム系過激派組織の活動が盛んに行われてきたため、国内だけでなく国境付近でも治安当局の警戒が強められている状況にある。

各国の軍隊と戦闘を続けるテロ組織

近年、とくに危険だとされているのが「イラク・レバントのイスラム国（ＩＳＩＬ《アイシル》）」に関係するテロ組織だ。

政府は、ＩＳＩＬのテロ活動に参加して帰還するアルジェリア人戦闘員に対する警戒を強化しているものの、国境すべてを監視し続けることは不可能に近い。そのため密入国の実態は把握できておらず、国内でもいつどこでテロが起きても不思議ではない状況だといえるだろう。

テロ組織が狙うのはアルジェリアの要人や政府組織にとどまらず、外国人に対しても誘拐や殺害などの凶悪事件を起こしている。日本の外務省の勧告でも、国境付近はすべてレベル4の退避勧告が出ており、万が一にでもその縄張りに近づいてはいけない。

武装集団と各国の軍隊は戦闘を頻繁に繰り広げており、2020年6月にはフランス軍の空爆によってアルジェリアとマリの国境付近で、アルカイダ系の組織を率いていたアルジェリア人指導者が殺害されている。

前述の人質事件の後も外国人を狙った誘拐・殺害などのテロ事件は発生しており、政府の取り締まりが強化されているとはいっても、観光気分で気軽に訪れることは無謀以外の何物でもないことを肝に銘じておきたい。

ナイジェリア

学生の集団誘拐が多発する

腐敗と汚職にまみれた政界

ナイジェリアには、「ナイジェリアからの手紙」と呼ばれる国際的な詐欺が存在する。内容は、「秘密の資金の送金のために銀行口座を貸してくれれば、謝礼を渡す」といったもので、やり取りを続けている間に手数料などを騙し取られる仕組みだ。

メールは日本にも届いており、2015年には日本に住むナイジェリア人がこの手口で詐欺を働き、共犯の日本人とともに逮捕された。

ナイジェリアは、アフリカ最大の経済大国として近年世界から注目されているが、国民の大半はむしろ貧困にあえいでおり、2020年の失業率は27%を超えている。

ナイジェリアは他のアフリカ諸国同様、政情不安に揺れ続けた国だ。独立以降、7度ものクーデターが起こり、激しい内戦も経験している。

経済大国にのぼりつめた反面、政治は腐敗しており、汚職まみれの政治家は私腹を

カメラの前で主張するボコ・ハラムの指導者シェカウ。一時は死亡と伝えられたが、動画で自分の死亡説を否定した。

肥やすことに熱心で、道路工事や電気供給のためのインフラの整備はほとんど進まないといったありさまだ。

詐欺や恐喝の類は日常化しており、時には警察官ですら賄賂を要求してくるという。

西洋を否定するボコ・ハラム

ナイジェリアで今もっとも要注意とされているのが、ボコ・ハラムの存在だ。名前の意味は「西洋の教育は罪」である。

ボコ・ハラムは、預言者ムハンマドの後継者であるカリフが統治する国家の樹立を目指す組織である。

本格的に表舞台に出てきたのは２００９年頃で、西側世界に染まる政府やキリスト教徒を敵とみなして蛮行を繰り返している。

その標的は、軍、警察施設、宗教施設、学校、銀行などだ。町や村ごと襲撃することも珍しくなく、被害者の中に子供がいようが、外国人がいようがおかまいなしだ。

こうした彼らの残虐性に手を焼いた政府は軍と警察部隊を投入して本格的な掃討作戦に乗り出したが、かえって相手を刺激する形となり、テロ活動はますます激化したのである。

生徒の集団誘拐とその後の苦難

なかでも衝撃的だったのは、2014年に起こった女学生集団拉致事件である。国の北東部にあった女子学生寮をボコ・ハラムの集団が突如襲撃し、学校や近隣の家に火をつけた。そして、キリスト教徒の女子生徒276人を誘拐したのだ。

犯行後に指導者が公開したメッセージは、「生徒たちをイスラム教に改宗させて戦闘員の妻にし、一部は売りとばした」というものだった。つまり、この誘拐は西洋の教育および価値観と、女性の教育を否定するためのデモンストレーションだったといえる。

ナイジェリア政府とボコ・ハラムの交渉によって、82人の生徒が解放されたが、いまだに100人以上の行方がわかっていない。ボコ・ハラム幹部によれば、彼女たちは教義を受け入れ、戦闘員たちの妻になっているのだというが、真相は不明だ。

2018年には北東部ヨベの学校から110人の女子生徒が拉致されたものの、そのほとんどが解放された。2020年には300人以上、一説には500人以上の男子生徒が拉致されたが、そのうちの344人は解放されたという。

しかし、とくに女性たちにとって、ボコ・ハラムからの解放がすべての解決になるわけではない。彼女たちの多くはレイプされており、戦闘員の子どもを妊娠しているか、出産している。そのことで夫や家族を裏切り、「呪われた血を受け継いだ」「不幸をもたらす」としてコミュニティに拒絶されるのである。

しかも、家族ですら彼女たちを受け入れない状況に、自分からボコ・ハラムのもとに戻る女性も後を絶たないという。少なくとも居場所があるとして故郷を逃げるように出ていくのである。

ナイジェリア北東部を中心に活動していたボコ・ハラムだが、近年では少しずつその活動範囲を広げている。

もともと経済格差が著しく、国民の6割が貧困層だったうえに、コロナ禍にあって主要産業である原油価格が下落して不況に陥り、生活はさらに苦しくなっている。そんななかで、戦闘員に国の最低賃金を大きく超える給料を払うボコ・ハラムがその勢力を着実に伸ばしつつあるのだ。

2章　厳しい自然環境のもとにある国

冬はマイナス50度になる極寒の国
サハ共和国

1年間の気温差は１００度

世界には、夏と冬とで１００度の気温差があるという国があるのをご存じだろうか。
それは、ユーラシア大陸の東の端に位置するサハ共和国だ。

83の共和国や州で構成されるロシア連邦の構成国のひとつであり、日本から見るとちょうど真北にあたる。面積は日本の8倍もあるが、うち40%は北極圏で、大部分を永久凍土に覆われている。

なかでも北東部のオイミャコン村は、人間が定住する場所としては世界でもっとも寒い場所とされており、１９２６年には史上最低気温となるマイナス71・2度を記録した。

マイナス71・2度がどれくらいの寒さなのかというと、マグロを一気に凍らせることができる冷凍庫はマイナス60度なので、それよりもさらに低いということになる。

吐く息はすぐさま霧状になり、風にあたるだけで凍傷になる。

一方で、夏場は30度を超えることも珍しくないため、最大の気温差はじつに100度以上にもなる。

冬は冷気がたまり、夏は熱気がたまるという盆地ならではの地形が原因だが、何にせよ、人間が生きていくうえでこれ以上ないほどに厳しい環境なのだ。

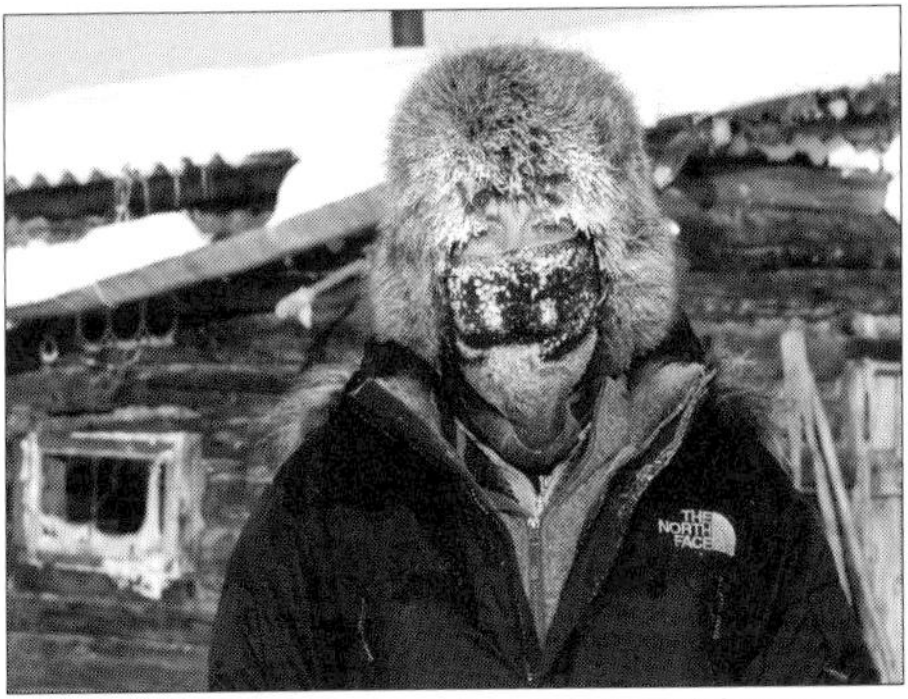

口元まで完全防備したオイミャコン村の青年(©Maarten Takens from Germany/CC BY-SA 2.0)

必要摂取カロリーは日本の2倍

では、こんな極寒の国に暮らす人々の生活はどのようなものなのだろうか。

オイミャコン村には500人ほどが暮らしているが、ここでの生活は私たちの日常とは大きくかけ離れている。

まず、水が凍ってしまうので水道がない。飲み水は給水車で湧き水が配られ、トイレは屋外で地面に掘られた穴に排泄する。出したそばから凍ってしまうので、それで十分ということなのだ。もちろん臭いはまったくない。

市場にはまっすぐに凍った魚がずらりと並ぶ。水の中よりも外気のほうが温度が低く、一瞬で凍ってしまうのだ。

一方、屋内は半袖で過ごせるほどにまで暖かくする。住居内はロシアの暖炉「ペチカ」で熱を循環させ、家を丸ごと温めている。学校はマイナス50度を下回るとたちまち休校だ。

このような気候の中で暮らすためには、通常よりも多くのカロリーを必要とする。日本人の1日の平均摂取カロリーが2000キロカロリーなのに対し、この地に生きる人々はおよそ4000キロカロリーと、2倍も必要になるのだ。そのため人々は、トナカイの肉など、意識的に肉を多く摂取しているという。

寒すぎて病原菌が生きられない

とはいえ、この環境で暮らすメリットもある。それは、あまりの低温で細菌やウイルスなどの病原菌が生きられないため、病気になりにくいということだ。その証拠に、この地はロシアの中でも長寿の村として位置づけられている。

オイミャコンだけでなく、共和国全体も長命で、ソビエト連邦時代には、平均寿命が世界2位になったこともある。公式記録ではないものの、過去には120歳近くまで生きた人がいたという。

ただし、ここで生きられる人々はその土地のＤＮＡを持つ者か、先人の知恵を学んで環境に適応できる者だけだろう。

この地では肺が凍ってしまうのを避けるため、屋外での深呼吸はご法度である。こんな基礎知識も知らず、世界一の寒さを体験したいと物見遊山で足を踏み入れると、命も落としかねない。それほど厳しい世界なのである。

ジブチ

気温50度、湿度80%の夏がおとずれる

屋外は「危険地帯」

日本では、気温30度以上で「真夏日」、35度以上で「猛暑日」と定められている。しかしそんな基準ではおさまらない灼熱の国がジブチである。

ジブチは、東アフリカに位置する、両隣をエリトリアとソマリアに挟まれた小さな国だ。ソマリア沖の海賊対策として、日本の自衛隊としては初となる海外拠点を置いた地でもある。しかし、自衛隊の猛者たちも悲鳴を上げただろう。この国の暑さは、危険と呼ぶにふさわしいレベルだからだ。

1年を通じて気温は高く、首都のジブチの年間平均気温は30度にもなる。猛烈な暑さに見舞われる6～8月は最高気温が50度に達することも少なくない。

それでも乾燥していればまだましだが、湿度も80％前後ある。たとえるなら、四六時中、高温のスチームサウナに閉じ込められるようなものだ。日本の猛暑など足元に

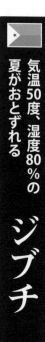

も及ばない、一歩間違えば命の危険もある国なのである。

ジブチの暑さの危険度をあらわすエピソードとして、車に乗っている時は窓を開けてはいけないという話がある。なぜなら窓から熱風が入り込み、その暑さが身体を直撃するからだ。

また、砂漠が多いため砂嵐も頻繁に起こる。車だけでなく、夏場は家の窓も閉めきりにしておかなくては、部屋の中が熱を帯びた砂で埋め尽くされてしまう。

そうなると、50度の屋外に比べれば35度程度の屋内でも涼しく感じられてしまう。日本の熱帯夜程度なら過ごしやすく感じられるレベルだろう。

街にある数少ない外国人向けのスーパーには、エアコン目当ての人々が集中する。また、洋服を着たまま全身ずぶ濡れで昼寝をするのも暑さをしのぐ定番の方法のようだ。

路上の木陰で涼をとる老人（©Daniel Carter/CC BY-SA 3.0）

ジブチのバラック(©Keo the Younger/CC BY-SA 2.0)

平均寿命は66・58歳

ジブチにはソマリアからの難民が多いこともあり、郊外のバラックのような建物に住み、シャワーすらない貧しい暮らしをしている人も多い。

仮にシャワーがあったとしても、夏は40度近いお湯になっており、裕福な家庭やホテルでは冷却装置で冷やすのだという。

年間降水量は130ミリメートルと、日本の10分の1にも満たないため、当然、水は貴重だ。

首都ジブチでも海水を浄化して水道水として利用しているのだが、塩分や雑菌が含まれており、外国人なら腹を下してしまうレベルだ。そのため、飲み水は国連がわざわざ補給しに来ている。

公衆衛生の概念が広く浸透していないために、食べ物を暑さの中に放置したり、ごみを路上に捨てる、ヤギや羊などの家畜の糞尿を始末しないために街中の衛生状態は最悪といっていいだろう。

また、電気の供給も不安定で、停電が多い。会社や公的機関は、昼頃までに仕事を終え、町の店舗も夕方には閉店する。ほとんどの人が外出を控えるため、路上に人影は少ない。

駐在員や富裕層は、この暑さを避けるため6～8月は帰国したり、近隣に旅行に出ることが多い。だが、その余裕がない者は、この過酷な環境下でどうにかして生きていかなくてはならないのである。

2018年の統計によれば、ジブチの平均寿命は66・58歳で、世界202ヵ国中158位である。暑さは直接の原因ではないだろうが、厳しい環境からくる衛生面や医療面に大きな不安があることは間違いない。

海面上昇により水没しつつある キリバス

海面上昇による国家消滅の危機

地球上には、自然の脅威によって国家消滅の危機にさらされている国がある。そのひとつが、太平洋の真ん中、赤道直下にあるキリバス共和国だ。33の島で構成されるこの国は、日本の対馬とほぼ同じ面積の小さな国で、約11・6万人が暮らしている。創造神が投げた花びらが島になったという美しい神話がある島国だが、近年は、外国人は気楽な気持ちで立ち入ることができない状態にある。

というのも、この国の周辺の海では、過去20年間、1年に数ミリメートル単位で海面が上昇しているからだ。

毎年とはいえわずか数ミリメートルなのになぜそこまで影響が出るかというと、この島の海抜が平均2メートル程度しかないためである。つまり、ほんの少しの海面上昇で陸地はあっという間になくなってしまうということだ。

キリバスは、そう遠くない未来に国ごと水没してしまうという危機に瀕しているのである。

キリバスの環礁（©Government of Kiribati employee in the course of their work）

国民全員の引っ越し

海面が上昇するもっとも大きな理由は、深刻な地球温暖化である。地元民は慣れっこになったようだが、現在、少しでも潮位が上がれば身体が海水につかるという異常事態になっている。

世界銀行の報告書によれば、２０５０年には首都タラワがある島は全体の約８割の面積が浸水する恐れがあるという。

また、淡水資源は雨水を溜めたものや地下水しかないため、ひとたび海水に浸食されれば飲み水の確保が難しくなってしまう。

そこでキリバスは、同じ南太平洋の国であるフィジーに、東京ドーム470個分の土地を購入し、国が水没した時には全国民を受け入れてくれるよう要請した。

フィジー側は人口88万人ほどの小さな国で、それでもおよそ10万人のキリバス国民すべてを受け入れることを了承している。

ハリケーンやサイクロンがとどめをさす

同じように国家消滅を免れそうもないのが、キリバスのお隣のツバルである。

9つの島の合計面積は東京都の品川区と同程度しかなく、世界で4番目に小さい国である。人口はおよそ1万人で、その半分以上が首都のフナフティで暮らしている。

こちらもやはり海抜は最高で5メートルしかなく、この100年で20〜30センチメートルも潮位が上昇しており、21世紀中に最大で1メートルの上昇が見込まれている。

また、キリバスもそうだが、このあたりは気候変動以前にハリケーンやサイクロンによる被害も多い。ツバルのバサフア島は、海面上昇に加えて大きなハリケーンによる高波がとどめを刺し、2015年、ついに消滅してしまった。

もともとサンゴでできた地盤の上に都市整備を行ったことで地盤沈下が進み、海水の浸食を招きやすくなっていることも危機に瀕している要因のひとつだ。

ツバルは関係が深いオーストラリアとニュージーランドに国民の移住を申し入れたが、オーストラリアはこれを拒否し、ニュージーランドは環境難民としてではなく労働移民として、しかも年間の移住人数に制限をかけたうえで受け入れると回答した。

これらの国には、タラワ環礁など南国の海を満喫できる観光地がいくつもあるが、もし訪れる予定があるなら、〝国〟が存在するうちに行った方がいいだろう。

一方で、嵐で打ち寄せられた堆積物や、波の打ち寄せるパターンの変化によって、ツバルの岩礁のうち約4分の3が面積を拡大しているという研究結果も発表されている。このことでただちに水没のリスクが減るわけではないが、状況を打開するための解決策のひとつとして注目されている。

キリバスやツバルが直面しているのは、自然環境の変化による国家存亡の危機だ。同じ地球上にある以上、どの国も、当事者として考えなければならないだろう。

ウガンダ

人間と野生動物が生存競争を繰り広げる

成人男性を丸呑みにする巨大ワニ

赤道直下に位置するウガンダは、アフリカ大陸の中では、比較的治安がいいとされる国だ。１９８０年代までは恐怖政治が横行し、20万人とも30万人ともいわれる国民が政府に拷問されて殺されている。

その後も、北部地域では反政府組織である神の抵抗軍（ＬＲＡ）の活動によって治安の悪化が著しい状態20年ほど続いたが、政府などの掃討作戦が功を奏して２００６以降、ＬＲＡによるテロは確認されていない。

また、アフリカ大陸の国で唯一、国を挙げてのエイズ対策が効果を上げて、その原因となるウイルスであるＨＩＶに感染する人が劇的に減少している。

では、なぜそのウガンダが危険な状態になっているのか。それは、巨大ワニの人食い事件が多発しているからだ。

2014年に捕獲された体長5メートルのワニ(写真提供:AFP＝時事)

事件の発生場所は、淡水湖としては世界第2位の大きさを誇るビクトリア湖だ。この湖の北岸には、ウガンダの首都カンパラなどの大都市があり、ビクトリア湖への観光の拠点となっている。その湖畔で、毎年多くの漁民や近隣の住民が巨大ワニの被害にあっているのだ。

2014年には、成人男性4人を丸呑みにした体重1トンの巨大ワニが捕獲されて話題になった。

犠牲者の友人が行方不明になった男性を捜索した時は、水面に浮かんでいたシャツしか発見できなかったという。

また、同年11月には、25歳の妊娠中の女性が巨大ワニに襲われ、体を食べられて死亡している。

ビクトリア湖畔で舟のメンテナンスをする人々
(©Simisa /CC BY-SA 3.0)

この女性は湖のほとりで数人の女性と薪にするための枝を拾っていたところ、ワニに引きずり込まれて食い殺されたのだという。彼女はこの年30人目の被害者で、胎児は31人目の被害者ということになる。

２０１７年には小学生７人が、そして２０１８年には湖に水をくみに来た母子がワニに食べられるという悲劇が起きている。

なぜ、巨大ワニがこれほどまでに人を襲っているのか。その原因は、ビクトリア湖での魚の乱獲だとされている。

沿岸都市は人口密度が高く、漁民も多い。しかも、湖には高級魚のナイルパーチが生息していることから、漁民らが規制を無視して漁をするようになった。そのせいでビクトリア湖の魚が激減し、巨大ワニが飢えたために、人間に手を出すようになったというのだ。

近隣のある村では、巨大ワニの被害によって、孤児や未亡人、体に障害を負った人が増えているという。

チンパンジーが人間の子どもをさらう

降水量が少ないウガンダでは、飲料水の確保が重要な作業のひとつで、周辺住民にとってはヴィクトリア湖の水は生活用水として欠かせない。ワニに出会う危険を冒してでも水を汲みにいかなければならないのだ。

政府が人食いワニが出る地域には近づかないように警告を出しているものの、被害はなくならないのが現状だ。しかも、ワニの群れが湖を出て周辺の人家を襲うケースも出てきた。食料目当てに襲ってくるワニの群れのせいで、家を捨てる羽目になった住民もいるのだという。

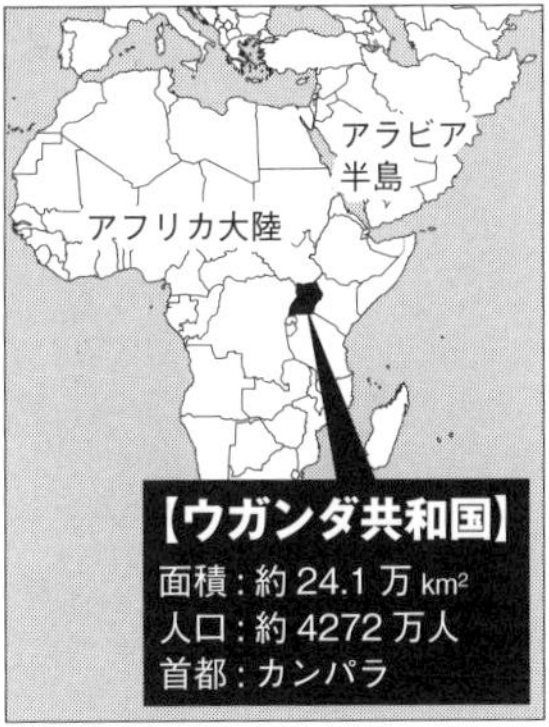

さらに、近年では、森林地帯で住処を奪われたチンパンジーが人里に出て作物をあさり、人間の子どもをさらうという事件も多発している。

「アフリカの真珠」と謳われた美しい自然を持つ国では、ときにその自然こそが人間にとって恐ろしい脅威になるのである。

世界でもっとも貧しい国といわれる
シエラレオネ

かつては世界一短命だった国民

「世界保健統計」2020年版によると、世界でもっとも平均寿命が長い国は日本で、男女の平均で84・2歳となる。

一方、かつて平均寿命が30歳代という時期もあり、もっとも平均寿命の短い国として知られていたのが、アフリカ大陸の西、赤道直下に位置するシエラレオネである。同統計によると、2016年時点での男女の平均寿命は53・1歳となっていて、52・9歳のレソト、53・0歳の中央アフリカに次ぐ位置にある。世界平均が72歳なので、いかに短命の国民であるかがわかる。

北海道よりも小さな国土に約765万人が住んでいるが、この人々はなぜこんなに短命なのだろうか。

その背景にあるのは、世界でもトップレベルの劣悪な水準にある医療事情である。

たとえば、看護師の数は人口１万人に対して２人弱しかいない。妊婦の死亡率は世界でもっとも高く、さらに、産まれてきた子供の５人に１人は５歳になる前に命を落とすといわれる。これでは世界でもっとも短命になるのも無理はない。

大量のゴミが捨てられた川で遊ぶ子供たち

教育の遅れと病気との戦い

これらの問題の根本的な原因は、極度の貧しさである。

〝世界でもっとも貧しい国〟とさえいわれるこの国では、人口１００万人をかかえる首都のフリータウンでさえインフラの整備が遅れている。

たとえば空港はあるが、そこから市街地へ移動するための道路がないという具合である。

また、上下水道の不備やゴミ処理問題の遅

れなども不衛生な住環境を生み出す原因となっており、安全な水を手に入れることができるのは国民の半数以下だといわれている。

仕事を求めて首都に行ったとしても、現実には仕事はなく、狭い住宅に大勢の家族がザコ寝するような生活が当たり前になっている。

また、教育機関も不足しており、国民の間には衛生観念がなく、多くの国民が病気のリスクと共存している。しかも、異なる文化的背景を持ったさまざまな部族の人々がいるので、病気の危険を理解させるのも大変な苦労をともなう。

子供たちはマラリアや呼吸器疾患、下痢などで命を落とし、生き延びている子供でも慢性的な栄養失調に苦しんでいるという状況なのである。こういった、日本では想像もつかない劣悪な環境が、この国の寿命の短さにつながっているのだ。

しかし、それだけではない。抵抗力もなく、医療機関にかかるだけの経済力もない国民に襲いかかったのが、エボラ出血熱だ。

呪術者がエボラを持ち込んだ？

2014年9月、首都フリータウンを含むシエラレオネ西部で、エボラ出血熱患者が74人報告された。その後、12月末には約２８００人にふくれあがり、さらに1時間に5人のペースで増加しているといわれている。

ただし、その正確な数字はわからない。国民のほとんどが極度の低所得者で、医療機関での診察を受けることができないので、その実態が把握できなかったのだ。

この国にエボラ出血熱を持ち込んだのは、ひとりの呪術者だといわれている。

彼女は自分がエボラ出血熱だと認識しながらも、自分の呪術で回復させることができると言い張り、治療を受けようとせずに死んでいったという。

彼女の葬儀には彼女の呪術を信じる大勢の人々が全国から訪れたが、その際、弔問者たちはその遺体に触れたといわれる。なぜなら、この国では死者の体に直接触れることで死者を弔うのが習慣だからである。

しかし、この行為がエボラ出血熱の感染を拡大させた。弔問者たちは、わざわざウイルスをまき散らしたわけだ。つまり、ウイルス感染に対する知識がなかったことが、この国のエボラ出血熱患者を増加させたのである。

貧困と文化の壁が生み出した悲劇ともいえるが、シエラレオネをここまで危機的状況にしてしまった要因はもうひとつある。それは資源の奪い合いから起きた戦争だ。

ダイヤモンド鉱山で働く労働者たち

ダイヤモンドが国を荒廃させた

２００２年までの10年間、シエラレオネは激しい内戦状態にあった。

もともとはダイヤモンド鉱山の利権をめぐって政府軍と反政府軍とが戦い、それが長年にわたる戦闘状態につながったのだが、結果的に約７万５０００人もの犠牲者が出た。

そしてさらに悲惨なのは、多くの年少者が巻き込まれたことだ。年端もいかない子供たちが誘拐されて強制的に兵士にされたり、人間兵器として利用されたりしたという。また、多くの少女たちが性的虐待を受けたといわれている。

さらに、反政府勢力は数多くの農村を襲い、見せしめのために手足を切り落とすという残酷な行動を繰り返した。手足を失った農民たちは農作物の収穫ができなくなり、その結果、やむをえず食糧を反政府勢力に頼ることになる。

そうなると食物の自給率が下がるため、国力が弱まり、政府側は弱体化していく。手足の切断という行為の背景には、そんな反政府勢力の意図があったといわれている。

これらはジェノサイドと認定される行為であり、この国の内戦は〝世界でもっとも残酷な戦争〟となって、今なお社会に深い爪痕を残しているのだ。

家族や財産、家畜などを失った人々は約２００万人にものぼり、その結果、人々は希望を奪われ、いまだに生産性が低く、貧しい国家のままになっている。

内戦は終わり、２０１５年11月にはＷＨＯ（世界保健機関）がシエラレオネにおけるエボラ出血熱流行の終息宣言をしたが、それでもマラリアやコレラ、腸チフスなどの致命的な感染症の流行は続いており、いまだに危険度は高いと言わざるを得ないのだ。

エボラ出血熱の恐怖におびえる ギニア

ギニアに集中する感染者と死亡者

ＷＨＯ（世界保健機関）の発表によれば、２０１４年から２０１５年にかけて流行したエボラ出血熱の感染者数は2万８６００人以上、そのうち死亡者は約1万１３００人となっている。

感染者はアフリカに多かったが、その中でも感染者が圧倒的に多いことで注目された国がギニアだ。

大西洋に面した西アフリカの国ギニアは、鉱物資源が豊かで日本企業のビジネス拠点もある。ところがギニア国内のエボラ感染者は約３８００人、うち死亡者数は２５００人以上である。つまり、感染者のおおよそ1割、死亡者の約2割はギニアに集中しているのだ。

人々の無知が感染を拡大させる

このような状況になった大きな理由は、医療機関の整備の遅れである。予防ワクチンが徐々に効果を上げているものの、治療薬はまだ確立していないだけに、医療環境の不備は致命的な打撃となる。

しかし、それに輪をかけるのが、医学の遅れである。

首都コナクリの住宅。雨季には水が低地を覆うこともある。（©CDC Global）

たとえば、ギニアでエボラ出血熱と思われる症状で死亡した人がいても、死因が特定されないこともある。「エボラ出血熱とよく似た症状で死んだ」というしかないケースが少なくない。先進国に比べて、医学があまり発達していないのだ。

ニュースの映像で、エボラ感染者に接触する医療関係者が完全な防護服を身につけているのを見た記憶のある人も多いだろう。本来はあのような形で治療や看病にあたらなければならないのだ。

アメリカ疾病予防管理センターのスタッフによる検査
(©CDC Global)

しかし、基本的な医学的知識を持たない人が多いために、無防備に接触して感染してしまう人が多い。

さらに流行当初に致命的だったのが、住民たちの政府や国際機関に対する不信と、感染症への無知である。

住民たちは人々が死んでいくさまに恐怖を覚えるとともに、なかにはこれが自分たちを殺すために白人たちが生み出した病気だと信じる者たちもいた。そのため、政府が派遣した消毒チームが襲撃されたり、殺されたりする事件が起きたのである。

そして、自分が感染したことを知らない人が海外からの旅行者と接触すれば、国外にウイルスが広まってしまう。アフリカの国々の多くは国境地帯が森林や砂漠などの無人地帯であることが多く、人々の行き来を完全に掌握することができない。つまり、ひとたび感染症が流行したら、拡大を食い止めるための決定的な手段がないというのが現実なのだ。

エボラはギニアから始まった？

じつは、エボラそのものがギニアから始まったと考えられている。

エボラは、オオコウモリをはじめ、チンパンジーやゴリラ、サル、ヤマアラシなどがいわゆる「自然宿主」だといわれている。

ギニアの一部では、コウモリやサルを料理して食する習慣がある。最初の感染者は、これらの動物から感染した可能性も考えられる。

2015年12月29日に、WHOによってようやくギニアにエボラ出血熱の終息宣言が出された。しかし、ギニアをはじめとするアフリカ諸国の文化的、構造的な問題により、感染症の流行は常にそこにある危機といっても過言ではないのである。

【ギニア共和国】
面積：約24.5万km²
人口：約1277万人
首都：コナクリ

ペストの流行に悩まされ続けるマダガスカル

現在も猛威をふるうペスト

マダガスカルは、アフリカ大陸の東側に広がるインド洋に浮かぶ島国である。世界第4位の面積を持つ島に約2600万人以上の人々が暮らすこの国は、豊かな農業国でもある。あまり知られていないが、国民1人あたりの米の消費量は日本人の2倍だ。

近年、このマダガスカルをペストの大流行が襲った。

ペストといえば、かつて約5000万人もの犠牲者を出し、中世ヨーロッパを暗黒の時代に陥れた感染症である。

ペスト菌が体内に入ると、2〜5日ほどで高熱を発し、全身を倦怠感が襲う。その後、リンパ腺が侵され、ペスト菌が肝臓や脾臓まで繁殖して心臓を衰弱させて約1週間で死亡する。死亡率は5割から7割と高く、場合によっては敗血症や肺ペストなどの症状を引き起こすこともある。

現在では抗生物質もあるので、ほとんど駆逐された病気だと思っている人も多いだろうが、マダガスカルでは今も猛威をふるっている、現役の疾患なのである。

首都アンタナナリボ

抵抗力が強いマダガスカルのノミ

例年、一定の流行を見せるマダガスカルのペストだが、２０１７年から２０１８年にかけての流行は過去に類を見ないほどの多くの犠牲を出した。

感染者は国内で２６００人以上、死者は２３０人以上と感染者の１割近くが命を落とした計算になる。

なぜこのような事態になったのかというと、この時の流行が腺ペストではなく肺ペストだったためだ。

腺ペストは保菌者であるリスやネズミからノミ

などを介して人に感染する。早期に治療することで現在では救命できるタイプだ。一方、肺ペストは腺ペストが進行して血液から肺の中にペスト菌が侵入した状態で、咳《せき》をすることで人から人へ感染する。感染力が強いうえに毒性も強く、発症から24時間で死亡してしまうのである。

２０１３～２０１４年にも３１９人が感染して、75人が死亡したという報告がある。日本の外務省でもマダガスカルではペストに注意する必要があるというメッセージを出している。

ペスト菌は、もともとネズミなど野生の齧歯《げっし》類に感染する。感染した動物の体にいたノミがその菌を受け取り、そのまま人間の体を噛むことにより人間に感染するのである。

ペストを根絶するためには、宿主からペスト菌を媒介するノミを駆除することが有効な手段なのだが、じつはマダガスカルのノミは駆除剤への抵抗力がかなり強いことがわかっている。それが、ペスト蔓延の大きな理由のひとつになっているのだ。

洪水による新たな心配

２０１５年の初めには国内で大規模な洪水が発生し、数万人もの人々が避難のために大移動をした。このことによってペストのリスクが全国的に高まってしまった。というのは、多くのネズミたちが人間とともに移動することで、国内で感染が拡大するからだ。

もちろん、国は感染拡大を抑えようと対策を立てている。個人用の防護具や殺虫剤、抗生剤や散布器具を国民に配布し、少しずつだがその成果は現れている。

とはいえ、雨季とサイクロンの影響で水害が発生することの多いこの国では、常に多くの人々があちこちに避難をしなければならず、人々の移動とともにペストの恐怖も国中に蔓延することになる。

この国に不用意に足を踏み入れることは避けたほうがいいだろう。

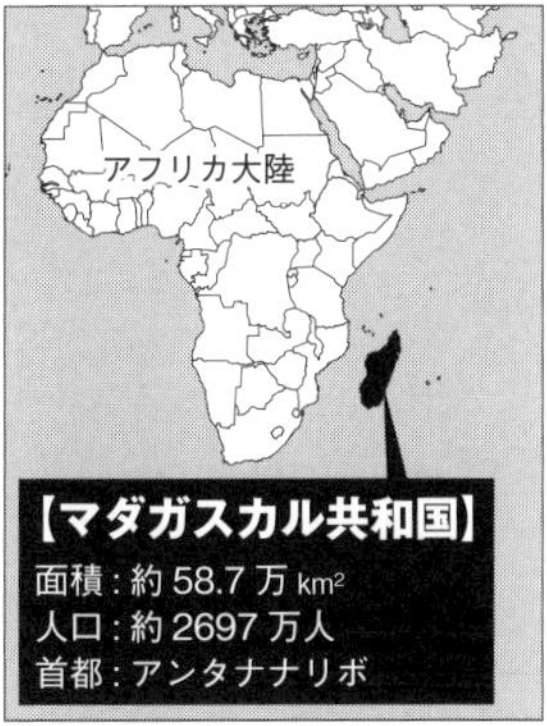

マラリアの根絶が困難をきわめる ソロモン諸島

国民の99%がマラリアを発症する

ソロモン諸島は、オーストラリアの北東に浮かぶ国である。1000以上の島が集まった国で、首都ホニアラがあるのは、第2次世界大戦の激戦地となり、多数の日本兵士も上陸したガダルカナル島だ。

失業率が高く、都市部では若者の犯罪も少なくないが、隣のパプアニューギニアに比べれば治安はまだいいほうである。

じつは、この島でもっとも警戒すべきは、人間による犯罪ではない。蚊である。というのも、ソロモン諸島は第一級のマラリア汚染地域なのだ。

マラリアとは、ハマダラ蚊に喰われることによって発症する感染症である。ハマダラ蚊の唾液腺にはマラリア原虫が寄生しており、蚊に喰われることによって血液中に原虫が入り込み、高熱などを引き起こす。

感染率や死亡率が高いことから世界最悪の感染症といわれており、2017年には地球全体の年間の感染者は2億1900万人で、およそ43万5000人が死亡したと報告されている。

蚊を防ぐため、屋内に蚊帳を設置する様子（©Department of Foreign Affairs and Trade）

おもに高温多湿の亜熱帯でみられるが、亜熱帯地域に属するソロモン諸島でもやはり国民の99％が発症した経験を持つ。

マラリアに慣れている現地人でも発症すると地獄の苦しみだというが、日本人のようにマラリアに免疫のない人間がかかればなおさらだ。処置を間違えると確実に命を落とす、恐ろしい病気なのだ。

マラリアのおもな症状は、高熱やせき、下痢、関節痛、頭痛、吐き気、痙攣《けいれん》、昏睡などである。潜伏期間は1～4週間だが、子供の場合は感染当日に死んでしまうこともあるという。

特にソロモン諸島のマラリアは、悪性の熱帯熱マラリアが61％を占めるために重症化しやすい。

第2次世界大戦中、ガダルカナル島ではおよそ3万1000人の日本兵がアメリカ軍と戦闘を繰り広げ、2万人の死者・行方不明者を出したが、負傷や餓《う》えのほか、マラリアにかかって亡くなった兵士もかなり多かったという。

根絶計画が中断される

1970年代には、WHO（世界保健機関）がマラリア根絶計画を打ち出した。しかし、殺虫剤DDTの使用予定が環境汚染問題のために中断されると、患者の数が一気に跳ね上がっている。

1980年にも再び制圧計画に着手したが、今度は国内で暴動が発生してやはり実現しなかった。このため、マラリアの状況は再び悪化したのである。

ちなみにソロモン諸島では、病気やケガの治療には今も薬草が重宝されており、いくつかの村にはカスタム・ドクターと呼ばれる伝承医がいて、先人から伝わった知識で薬草を調合し、村人の治療にあたっている。都市部以外で伝統的な暮らしをしている一部の人々にとっては、マラリアはもちろん、エイズやがんなどの難病に対しても、基本的に薬草だけが頼れる治療法なのである。

国際的なプロジェクトによる援助によって、現在はわずかにマラリアの感染率が減ってはきたものの、その恐ろしさに変わりはない。２０１６年の統計によれば、約５万人の感染が確認されている。さらに、８万５０００人に感染疑いの症例があるとして報告されているのだ。

外国人は渡航前に予防薬を接種し、現地では長袖の衣服や蚊取り線香で防御するしかないが、それでも感染しないという保障はない。あまりに感染が多いため、「発熱＝マラリア」と診断されてしまい、ほかの病気を見逃されてしまうリスクさえもはらんでいるのだ。

黒魔術が今も生きる パプアニューギニア

８００以上の部族が混在する

地理的な距離こそさほど遠くないが、日本人とはあまりなじみのない国、それがパプアニューギニアだ。

この国の異端ぶりを象徴しているのが、８００以上ともいわれる部族の存在である。公用語は英語だが、実際は部族の数だけ異なる言語が使用されている、まさに、多民族・多言語国家なのだ。

この国には、英語の「one talk」に由来する「ワントク」と呼ばれる独自の考え方があり、同じ言語を話す集団のつながりが何よりも優先される。そして集団の中の秩序を保ち、仲間を統率するのが「ビッグマン」と呼ばれるリーダーだ。

その影響力は、日々の暮らしだけでなく仕事や土地の所有にまで及び、時には政治にも介入してくる。仲間意識が強い分、部族同士の対立も激しく、抗争も珍しくない。

それに加え、首都のポートモレスビーなどでは失業や貧富の差の拡大により凶悪犯罪も発生しており、国全体の治安の悪化が懸念されているのが現状だ。

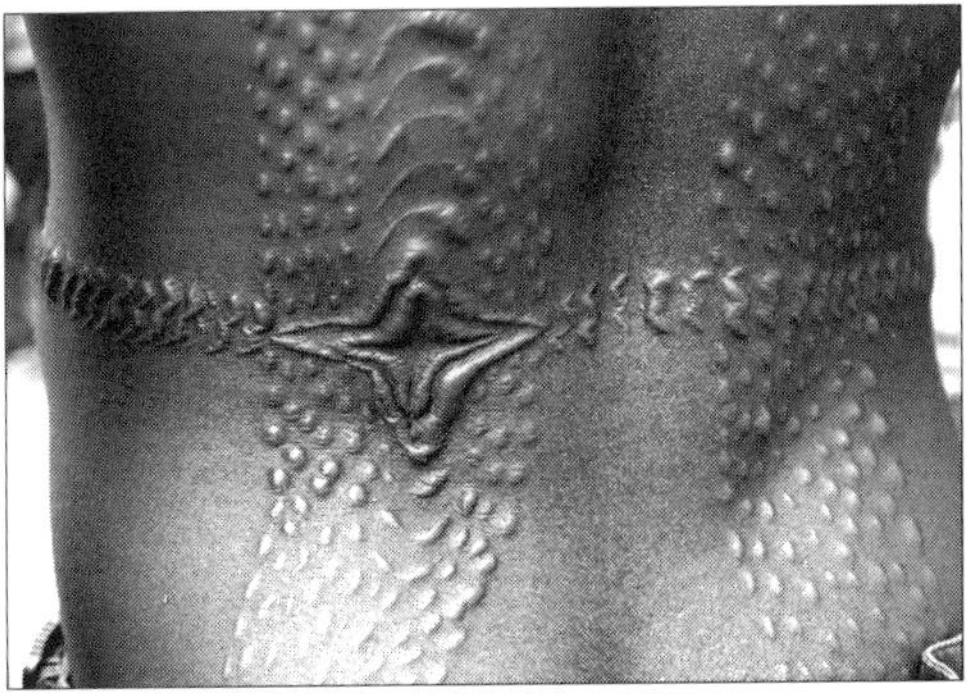
セピック族の男性の肌にほどこされた模様（©christopher from San Francisco, USA）

ワニの神のために体に模様をつける

パプアニューギニアに住む人々のほとんどは敬虔なキリスト教徒だが、そこに昔からその土地に根づいている精霊信仰が共存しているのが特徴だ。アミニズムといえる宗教観や文化のもとに暮らす彼らは、伝統的な暮らしを守り続けている。

特に、中央部のハイランド地方には、部外者が耳を疑うような奇習が残る部族が集まっている。

たとえば、セピック川流域のパリンベ村に住むセピック族は、ワニを信仰の対象とし、自分たちもワニの生まれ変わりだと信じて暮らしている。

祭りのお面や、住居の飾り、舟などにワニの装飾を施すのはもちろん、男子は成人を迎えるとワニのウロコのようにボコボコと肌が盛り上がるよう、身体に模様をつける儀式を行わなくてはならない。

精霊の家「ハウスタンバラン」で身体を押さえつけられ、手で目隠しされ、カミソリで背中や胸を傷つけられるという、あまりに原始的なやり方のため、まれに出血多量による死者も出るというが、彼らはこの儀式によってワニの魂が宿ると信じているのだ。

黒魔術の容疑で殺された女性

しかし、ハイランド地方に集まる部族には、珍しいというだけではすまない危険な一面もある。

たとえば、過去には首狩りの習慣を持つ部族がいたこともあった。これは一部の地域で信じられていた頭蓋骨信仰によるものである。

また、今なお人々の心に深く入り込んでいるのが黒魔術の存在だ。

２０１３年2月、西ハイランド州で、20歳の女性が火あぶりによって公開処刑されるという事件が世界的に報道された。殺害の原因は、この女性に黒魔術による子殺しの疑いがかけられたことだった。裸にされた女性は身体を縛られて、全身に灯油をかけられた。人々はそこに火を放ったのである。

この時、女性を助ける者は誰ひとりとしておらず、駆けつけた警察も狂信的になった住民の前にはなす術がなかったという。パプアニューギニアでは急速な経済、社会、そして文化の変化が起きており、この変化にとまどう人々が黒魔術のせいで生活が脅かされていると信じ込んでしまうのだという。

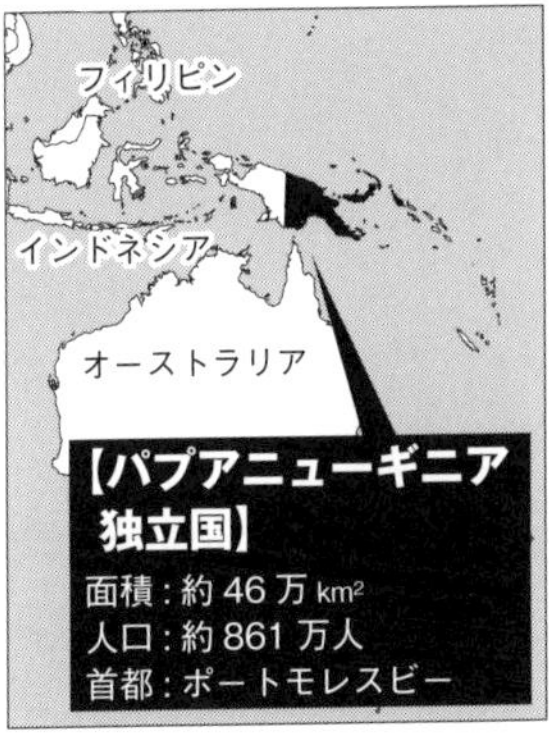

ただし、本来パプアニューギニアの人々にとって黒魔術というのはさまざまな問題を解決する社会システムのひとつであり、オカルト的なとらえ方をするのは本質的ではない。しかも、リンチ殺人のような魔女狩りはけっして古くからある習慣ではなく、人々の恐れが生み出した悪しき新しい風習だ。

近年、山岳地方を中心に魔女狩りの犠牲になる人が多発しており、当局も事態を把握してはいるものの対処するのが困難だとしている。

もしパプアニューギニアを訪れる機会があるとしたら、その土地以外の人には理解するのが難しい文化が存在することを頭に入れておくべきだろう。

3章　一触即発の緊張の中にある国

シリア

政府軍・反政府勢力・イスラム過激派がもつれあう

ＩＳＩＬによる残虐なテロ

シリアでは一時、欧米人を中心とした民間人が過激派に拘束される事件が多発していた。多くはカネ目当ての誘拐なのだが、身代金が支払われないとわかると容赦なく人質が殺害される。それが、シリアを拠点として勢力を拡大してきたイスラム過激派組織ＩＳＩＬの手口なのである。

ＩＳＩＬは「イラクとレバントのイスラム国」といったような意味であるが、レバントとは、シリアとその周辺をさす地名である。つまり、シリアやイラク周辺で活動し、国家の樹立を目指している組織なのだ。

ＩＳＩＬは、２００９年頃から誘拐やテロ事件を起こすことで注目されてきた。彼らは、拘束した人質を斬首、火あぶり、溺水させたりして殺害する様子を撮影し、インターネットで配信するという残虐なやり口で、女性や子供を含む民間人や外国人の無差別な殺害を繰り返している。

２０１５年1月には日本人ジャーナリストの後藤健二氏と、民間軍事会社の代表を務めていたとされる湯川遥菜氏がＩＳＩＬに殺害され、遺体画像がインターネット上にアップされるという最悪の結果となってしまった。

破壊されたシリアの都市アレッポ（©Fly_and_Dive/Shutterstock.com）

「アラブの春」はシリアに来なかった

40年にわたって一党支配が続いていたシリアは典型的な独裁国家で、アサド大統領が率いる政府側は国民の体制批判をけっして許さず、少しでも不穏な動きがあれば即座に投獄して、拷問の挙句に処刑した。

子供や女性に対しても容赦はなく、現在までに1万人以上の国民が処刑されたともいわれている。政府に対して積もりに積もった国民の不満は相当なものだった。

シリアの状況を激しく変化させたのが、2010年頃からアラブ世界で起こった民主化運動「アラブの春」である。市民による非暴力のデモを手段としたこの運動はアラブ諸国全体で盛り上がりをみせ、実際にエジプトやリビアでは独裁政権が崩壊した。シリアでも2011年3月、政府への大規模抗議デモから戦闘が始まった。人々は当初この民主化運動アラブの春に希望を抱いていたが、戦闘は10年の時を経てもいっこうに収まる兆しを見せていない。

アサド政権は勢力が衰えないまま、反政府武装勢力との戦闘を繰り返している。対する反政府勢力も一般市民の犠牲も問わないような凄惨な攻撃を行うために、シリアはすでに人々が市民生活を送れるような場所ではなくなっている。

内戦の終息が見えない理由の一つとしては、背後にちらつく各国の事情が挙げられる。

アサド政権はロシアやイランの援助を受けて、激しい空爆を行って反政府勢力から拠点を奪い返し、優位に立っている。一方の反政府勢力は、隣国トルコの支援を受けて最後の拠点であるイドリブを死守するべく激しい戦闘を繰り返してきた。

事態は一進一退を繰り返し、一時はシリア軍とトルコの国軍が直接衝突しかねない状況まで迫ったものの、2020年3月にロシアのプーチン大統領とトルコのエルドアン大統領が停戦に合意した。

しかし、この停戦合意は過去に何度も破棄されてきた脆弱なもので、いつ戦闘が再開してもおかしくない。当然、日本の外務省からは国全域に避難勧告が出されている。

EUにも波及する難民問題

内戦が始まったことで、国内情勢は最悪の状態に陥った。現在までに国内外に避難している人々の数は1000万人以上にのぼり、21世紀最大の人道危機ともいわれている。

難民の状況は深刻だ。670万人の市民が国外に逃れ、国境周辺に設置された難民キャンプなどで暮らしている。そこでの暮らしは悲惨そのものであり、衛生状態も栄養状態も劣悪だ。上下水道はおろか、電気もガスもないキャンプでは、感染症などのリスクも高い。

しかも、難民の多くは難民キャンプの外で暮らしているのだという。難民キャンプでは食べ物の配給はあるものの、プライバシーが保てずに生活の自由度が低い。長引く難民生活のため、たとえ保障がなく、賃金が安くても、キャンプの外に出て働いて生活しようという人が多くなっているのだ。しかし、身分が保証されていないために暮らしは貧しく、子どもたちは教育も受けることができずに働くしかない。

シリア難民は、彼らをもっとも多く受け入れているトルコをはじめ、レバノン、ヨルダン、イラク、エジプトに集中している。トルコはＥＵ諸国の支援を取りつけるために、「ギリシャとの国境を開放する」と発表して圧力をかけている。

もしトルコとギリシャの国境が解放されれば、トルコにいるシリア難民が働く場所を求めてＥＵに流れ込むことになる。その数は１００万人ともいわれ、ＥＵ諸国に混乱が生じることは必至だ。

国際社会の綱引きが市民を疲弊させる

難民問題を解決するための唯一の方法は、停戦合意を守って、国内の内戦を終結させることにほかならないだろう。

シリアの反政府組織の中でも主要な組織である「シリア国民連合」は、内戦の終結のためにはアサド大統領の退陣が不可欠だとしている。しかし、アサド政権は２０２１

年に行われる大統領選挙に出馬するとみられていて、先行きは依然として不透明なままだ。

政府軍と反政府勢力との戦闘が激しくなる中、急速に台頭してきたのが前出のＩＳＩＬや、アルカイダ系組織などのイラム過激派テロ組織だ。

彼らはシリア国内の都市にテロ行為をしかけており、多くの市民が虐殺された。アメリカをはじめとする国連軍の掃討作戦によってＩＳＩＬの勢いは衰えたものの、アメリカ軍の撤退によって息を吹き返しつつあるという見方もある。

シリアの内戦は、政府と反政府組織という単純な構図では片づけられない。国際的な勢力争いの犠牲になっているのは、長引く争いに疲弊しきった市民たちだ。

彼らが安心して暮らせる日ははたしてやってくるのか。世界各国が解決に真剣に向き合わなければ、シリアの平和は望めないのである。

アフガニスタン

大国の思惑の狭間で内乱に揺れる

タリバーンが政権を握っていた

２００１年の9月11日、アメリカのニューヨークにあった世界貿易センタービルに、2機の飛行機が衝突した。約1時間後には、アメリカ国防総省の本庁舎にも飛行機が突っ込み、アメリカ全土が大混乱に陥った。

この一連のアメリカ同時多発テロをきっかけとして、アメリカをはじめとした多国籍軍は、テロを実行したアフガニスタンを相手に数々の軍事作戦を実行することになる。その結果、当時アフガニスタンにあったタリバーン政権は壊滅させられたのだ。

タリバーンは、アフガニスタンなどで活動するイスラム原理主義組織で、おのれの主張を通すためなら自爆テロをもためらわない過激な武装勢力として活動し、人々に恐れられている。

テロ組織が政権をとっていたということに違和感を覚える人もいるかもしれない

が、そこに至るまでにはアフガニスタンの泥沼の歴史がある。

首都カブールに近い山岳地帯を行く米兵

内乱に乗じて生まれた政権

アフガニスタンは隣国であるソ連との間に紛争の火種を抱えてきた歴史がある。古くは1800年代に起きたアフガン戦争でイギリス・ロシア間の勢力争いの場となり、20世紀末には自国の共産政権の強化を図ったソ連による侵攻を受けている。

ソ連の侵攻によってもともとあったアフガニスタン内の部族抗争が激化して内戦状態に陥ってしまうのだが、その混乱に乗じて台頭したのがタリバーンだったのだ。

「神学生たち」という意味の名前をかかげた彼らは、内乱にうんざりしていた国民の支持を得て急速に拡大し、ついには首都カブールを陥落させ、「アフガニスタン・イスラム首長国」の樹立を宣言し、政権を樹立したのである。

つまりタリバーン政権というのは、部族抗争を勝ち抜いた過激派武装組織が政権を掌握したものなのだ。

そこに起きたのが「9・11」だった。テロの首謀者とされたウサーマ・ビン・ラーディンの引き渡しを拒否したタリバーン政権は、テロ犯を擁護したとして、多国籍軍の攻撃によって崩壊したのだ。

アヘンとヘロインの密輸で巨額の利益を得る

当時に比べると、アフガニスタンがニュースに登場することは少なくなってきたが、だからといって安全になったわけではない。

タリバーン政権は倒されたが、タリバーンという組織がなくなったわけではない。むしろ、2014年末をもってアフガニスタンから国際治安支援部隊が撤退したことで、再び攻勢を強めているのである。

タリバーン政権が倒れた後で、パキスタンに逃れていた戦闘員たちはしだいに勢力を盛り返し、２００２年ごろから再び武装を開始した。そして徐々にアフガニスタン国内にもその活動区域を拡大し、新政権をおびやかすほどの政治的、軍事的地位を回復していったのである。

タリバーンの勢力が衰えない背景として、その資金力が挙げられる。タリバーンはアヘンやヘロインの密輸で巨額な利益を得ているのだ。

アフガニスタンはアヘンやヘロインの生産量が世界一で、世界に流通するうち80％がアフガニスタン産だとされている。その利益は年間で３０００億円以上にものぼるというから驚きだ。

なかでもタリバーンは紛争地域でアヘンやヘロインを密輸し、年間１５００億円以上の収入を得ている。その潤沢な資金を武器に兵器を買い、戦闘員を雇い、地域の住民に生活の糧を与えるのだ。新政権が脆弱だったことに加え、地域に〝貢献〟しているタリバーンの組織力がその復権を支えたといえるだろう。

２０１５年５月には、首都カブールの中心部にある外国人が多く宿泊するゲストハウスが、武装集団によって襲撃された。人質とともにたてこもった犯人は、治安部隊との銃撃戦の末に射殺されたが、他にもアメリカ人やインド人など、少なくとも５人が命を落としている。

中村哲医師殺害と判事への襲撃

犯行声明のあるなしに関わらず、ジャーナリストたちもタリバーンによる襲撃の標的となってきた。2020年12月にも車で移動中の女性ジャーナリストが銃撃されて殺されており、そのほかにも、政治家や活動家などが襲撃される事件が続いている。アフガニスタンに人道支援を行っている国際NGOであっても、テロ組織の攻撃を避けることはできない。

記憶に新しいのが2019年に起きた日本人の中村哲医師の殺害だ。

現地の人々から親しみを込めて「カカ・ムラド（ナカムラのおじさん、情熱のおじさん）」と呼ばれていたという中村医師は、戦火の絶えないアフガニスタンに用水路を引き、住民たちの暮らしの向上に貢献してきた。銃撃を受けた当日も、灌漑現場に現地スタッフと共に向かう途中だったという。

いったい誰が中村医師を殺害したのかはいまだに分かっていない。その背景に大統領選に絡んだ武装組織の覇権争いがあったとか、灌漑事業に関する水利権の奪い合いに巻き込まれたとか、諸説紛々といった状況である。

そして、長年現地で人道支援に関わってきた日本人が殺されるという衝撃的なニュースは、アフガニスタンの情勢がけっして改善しているわけではないことを世界中に知らしめたのである。

２０２１年１月には首都カブールで女性判事が２人襲撃され、死亡した。犯行声明は出ていないため、事件の全容は不明だが、トランプ元アメリカ大統領によるアメリカ軍の撤退がアフガニスタンの情勢をさらに不安定にさせており、テロなどのリスクが増大しているとみる向きもある。

いつ、どこでテロに遭遇するかわからない場所に、日本人を簡単に行かせるわけにはいかない。外務省の海外安全ホームページの地図では、全土が「退避勧告」を示す真っ赤に塗られている。地図の色が塗り替えられるのは、まだ先のことのようだ。

市街地が戦場と化したウクライナ

プーチンによる「クリミア併合」

２０１４年、日本人にはあまりなじみのないウクライナの名前がニュースでひんぱんに取り上げられた。ロシアによる「クリミア併合」をきっかけに、銃弾が飛び交う、本物の戦場となってしまったからである。

ウクライナ南部のクリミア自治共和国及びゼヴァストーポリ特別市には、もともとロシア系の住民が多く暮らしていて、歴史的に民族的対立が絶えなかった。

そこに２０１４年、ウクライナで政変が起き、親欧米派が政権を握った。このことに反発したロシアがクリミアで住民投票をおこない、その結果という名目でウクライナの領土であるクリミアをロシアの一部に併合してしまったのだ。

これには欧米をはじめとする国際社会が「国連憲章や国際法に反する」と非難したが、ロシアはあくまでも「クリミアの民意を汲んだ結果だ」として譲らなかった。

クリミアをロシアに編入する書類に署名するプーチン（©Kremlin.ru）

たしかに、住民投票では9割以上の票がロシアへの編入に投じられたのだが、軍事的圧力の下で実施された投票が民意を反映しているのかは疑問だ。さらに、ロシアに編入されることを希望しない人たちは投票をボイコットしており、その割合は4割にもなるという。

国際社会の非難にもかかわらず、クリミアを占拠しているロシアはいまだに態度を変えておらず、一帯はウクライナ政府の統制が及ばない状態になっている。

スラブ人のルーツとしてのウクライナ

国際的な非難を浴びてもロシアがクリミアを手放さないのには理由がある。

クリミアには黒海に面したロシア海軍の要衝があ

り、黒海艦隊が駐留している。万が一ウクライナが欧米側につくようなことがあれば、ロシアにとって重要な軍事拠点を失うことになるのだ。黒海は冬になっても凍りつくことがないため、ロシア海軍にとっては何があっても手放せない港なのである。

また、ウクライナはスラブ人のルーツの地であり、「東スラブの伝統の源」とも称される。10世紀頃に栄えたキエフ公国は、現在のウクライナ、ベラルーシ、ロシアにまたがる地域にあった。

その中心だったのが現在のウクライナの首都キエフである。キエフ公国から後にロシアが台頭していくのだが、東スラブの文化はキエフで生まれたと考えられている。

クリミアの入口のチェックポイントにつくられたバリケード（©Sasha Maksymenko）

スラブ人国家のロシアにとってウクライナこそが民族的なルーツであり、アイデンティティの源なのだ。親欧米派の政権が誕生したことによってウクライナが西側に取り込まれることは、国防的にも心情的にもまったく受け入れられないのである。

ウクライナの資源をめぐる各国の思惑

ＥＵをはじめとする欧米各国にとっても、ウクライナは味方につけたい魅力的な国だ。その豊富な地下資源が、喉から手が出るほど欲しいのである。

ウクライナの地下には天然ガスなどの豊富な地下資源が埋蔵されている。すでにウクライナにはパイプラインが通り、それを通じてＥＵに資源が提供されているのだが、ロシアの影響力がなくなれば、よりコントロールしやすくなるというメリットがある。

ウクライナ自身にとっては独立国である以上、ロシアのクリミア併合を断じて許すことはできない。

いわば取ったもの勝ちともいうべきロシアの行動に対して、ＥＵ、アメリカなどの各国が経済制裁を科してきた。それでもロシアがクリミアの地を去ることはなく、解決の糸口すら見いだせない状況が続いているのである。

旧ソ連がいまだに続く モルドバ

独立をめぐる激しい衝突

モルドバという国名を聞いても、ピンとこない人も多いだろう。確かに日本ではあまり聞くことのない国なのだが、国内にロシア軍が駐留し、自国の政府の統制が及ばない一帯が存在するという不安定な情勢を抱えた国なのだ。

これは、ウクライナにおけるクリミア情勢によく似た構図である。ウクライナは、国の一部であるクリミアが独立しようとしたことが発端になって、深刻な内戦状態に陥ってしまった。モルドバでも同じように、国の一部に独立の動きが存在するのである。

モルドバは、元ソビエト連邦の一部だったが、ソ連崩壊にともなって1991年に独立宣言を行ったことで誕生した。ウクライナの隣にあるという地理的条件もあって、昔から根深い民族問題が存在する。そしてその民族問題が、ひいてはロシアという大国に口出しを許す状況を招いているのである。

「沿ドニエストル共和国」の設立宣言

もともとモルドバには、ルーマニア人が多く住んでいた。ソビエト連邦が崩壊したタイミングで独立を目指す流れが生まれたのは当然ともいえる。

しかし、モルドバの中でもドニエストル川東岸地域にはロシア系住民が多く、旧ソ連からの独立は歓迎されなかった。そして、1990年には一帯の住民たちによって「沿ドニエストル共和国」の設立が宣言されたのである。

1992年にはこの独立をめぐって、モルドバと沿ドニエストル共和国の間で死者300人を出すほどの激しい衝突が起こった。

モルドバ軍はルーマニアからの支援を得たものの、

沿ドニエストルの首都に展示された旧ソ連軍の戦車（©Dylan C. Robertson/CC BY-SA 2.0）

ロシア軍の強力なバックアップを受けた沿ドニエストル軍を相手に劣勢を強いられた。その結果、モルドバは休戦協定を結ぶことを余儀なくされ、沿ドニエストル共和国は事実上の自治を獲得した状態になった。

もっとも、沿ドニエストル共和国を国家として認める国は存在しないため、国際的にはあくまでもモルドバ共和国の一部という扱いをされている。

今も生き続けるソ連の亡霊

沿ドニエストル共和国を訪れた人は、口をそろえて「旧ソ連がいまだに続いている」と言う。市庁舎の前にはレーニン像が立ち、標識などの表記はすべてロシア語となっている。モルドバの通貨とは別に独自の通貨を持ち、国民に発行されているパスポートには「CCCP」というソビエト連邦の略称が記されているのである。

入国には極端な制限があり、「夜9時までに出国する」という条件がある。滞在を希望する場合は別途手続きが必要になっていて、手続きがないとホテルに泊まることができない。しかも外国人は、国家機密であるとして街の地図を購入することすらできず、写真撮影も場所によっては制限がある。

そして、もっとも重要なのは、ロシア以外のどの国からも国家承認されていない以上、外交関係が存在しないということだ。つまり、万が一トラブルが起きても、外交ルートを使って自国に助けてもらうことができないため、あくまでも自己責任で解決しなければならないということになる。

何事もなければ問題はないが、いったん事が起きたら相当の覚悟が必要だ。日本の外務省のホームページにも、「沿ドニエストル地域を避けて移動されるよう強くお勧めします」という注意喚起がなされている。

市民生活は一見平和に見えるが、街中に立っている警察の監視の目は厳しく、まさに旧ソ連時代を思わせるという。

ドニエストル川沿岸には、停戦監視の名目でロシアの平和維持軍が駐留しており、一説には、旧ソ連時代の武器庫に大量の武器が保管されていて、組織的な密輸が行われているという疑惑もあるのだ。

プーチンの動きが国の行方を決める

２０１４年3月には沿ドニエストルでロシア軍が大規模な軍事演習を行っている。

さらに、4月には沿ドニエストル議会がロシア連邦への編入を見据えた「独立」決議を承認している。

停戦合意がなされた後もロシア軍の撤退は遅々として進んでおらず、モルドバ内の膠着状態は続いていた。

そんなモルドバ情勢が風雲急を告げたのが、2020年に行われた大統領選挙だった。親ロシア派だった現職のドドン大統領を破って、親欧米派のサンドゥ前首相が勝利したのである。サンドゥは前回の大統領選にも出馬したが、僅差でドドンに敗れた経験がある。満を持して再出馬した2回目の選挙で、決選投票の末に過半数の支持を集めての勝利となったのだ。

サンドゥ勝利の決め手になったのは、国外で働く人々の票が集まったことだとされている。欧州の最貧国とされるモルドバでは働き口が少ないため、100万人近くの人が外国に出稼ぎに出ている。

もちろんロシアで働く人も多いのだが、およそ半数の人たちは欧米で仕事についている。なかでも言語が似通っているイタリアで働く人が多く、スペインやポルトガルに行く人もいるという。

2020年の選挙では欧米在留のモルドバ国民の票の9割以上がサンドゥに入った

とされている。最貧国であるモルドバを立て直すには、ロシアではなく欧米との協力が不可欠だと肌で感じた人々の民意だといえるのかもしれない。

アメリカのハーバードケネディスクールを卒業し、世界銀行に勤務したのち、モルドバに戻って政治的キャリアを着実に積み上げた初の女性大統領に寄せられる期待は大きい。とはいっても、議院内閣制をとるモルドバでは、国会は野党となるドドンの所属する党が多数派となっているねじれ状態にある。

サンドゥ大統領が欧米寄りの姿勢を強めたときに沿ドニエストルに駐留したままのロシア軍や、新ロシア派の勢力の動きがどうなるのかは懸念材料になる。大統領選挙を受けて、ドドンの背後にいるロシアのプーチン大統領は、あっさりとサンドゥに大統領就任の祝電を打っているのだが、それがかえって不気味にも思えてくるのである。

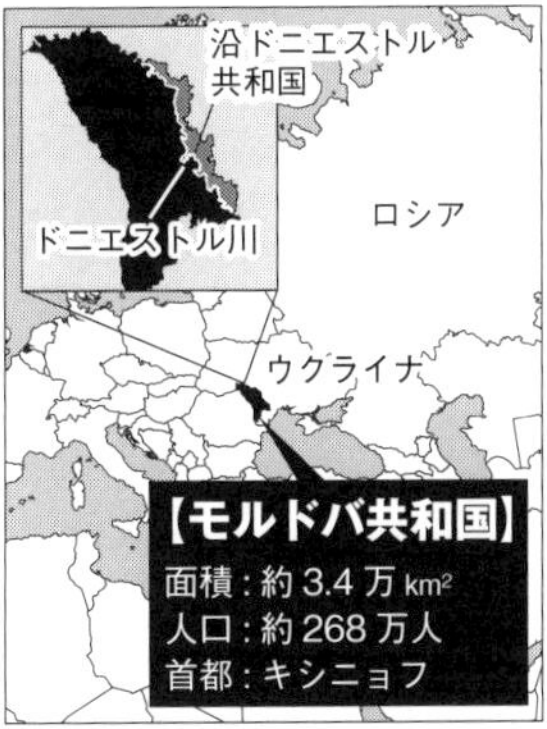

2020年にも軍事衝突が起きた ナゴルノ・カラバフ

外国人は立入禁止

世界には未承認国家がいくつかあるが、このナゴルノ・カラバフもそのひとつだ。場所はカスピ海に面したアゼルバイジャン共和国の西部で、3000メートル級の山々に囲まれた高地にある。歴史は深く、特に4世紀あたりからのキリスト教建築など、価値ある遺産もたくさん存在していた。

ところが現在、この国の一部は、まるで世界の終末を思わせるかのごとく廃墟と化しているのだ。その代表は何といっても、首都ステパナケルト郊外のアグダムだろう。

ここにはかつて5万人が暮らしていたが、民族浄化の憂き目に遭い、今は誰ひとりとして住む者はいない。しかも、いまだに軍の管理下に置かれているため外国人は立ち入り禁止であり、地元民も寄りつかない。ところどころには警官も立っており、ものものしい雰囲気が漂っている。唯一、戦火を逃れたモスクのミナレット（塔）から見下ろす町は、まるで時間が止まったかのようだ。

　また、同じく首都近郊で激戦地だったシューシは、最近になって再入植が進み、人口が3000人までに回復したが、一歩郊外へ出れば焼け焦げた民家や病院などがそのまま放置されているような状態である。

廃墟と化したアグダム（©Joaoleitao/CC BY-SA 3.0）

戦争で人々が逃げ出す

　このような状況になってしまった原因は、アゼルバイジャンと、その隣にある国アルメニアとの領土争いにある。

　2国の間に位置するナゴルノ・カラバフは、ソビエト連邦時代はアゼルバイジャンの自治州として存在していた。ただ、居住者はほとんどアルメニア人だったため、ソ連崩壊の声が聞こえるとアルメニアへの編入を希望するようになった。

　しかし、アゼルバイジャンはこれを認めず、その結果、アルメニアとアゼルバイジャンの間でこの地をめぐる大規模な戦争へと発展したのだ。

このナゴルノ・カラバフ戦争は1988年から4年間続き、1万7000人の死者と100万人以上の難民を出した。

アルメニア人は終戦後にナゴルノ・カラバフに戻ることができたが、戻ることを許されなかったアゼルバイジャン人の難民は自国内で苦しい生活を強いられている。

戦争は最終的にはアルメニア側の勝利に終わったが、ナゴルノ・カラバフを国家として承認しているのは、同じく未承認国家である近隣の数ヵ国だけで、アルメニアでさえも承認していない。この土地が荒廃してしまった理由は、そうした中途半端な立場と戦争の傷跡が原因なのである。

2020年に再び軍事衝突が勃発

世界中がコロナ禍に揺れていた2020年9月、ナゴルノ・カラバフ情勢が激しく動いた。突然、軍事衝突が勃発したのである。

アゼルバイジャンとアルメニアの双方は相手からの攻撃が先だったと主張している

が、真相は分かっていない。激しい衝突を繰り返した両国軍は、11月9日にロシアの仲介による最終的な停戦合意がなされるまで、停戦合意をしては破棄して戦闘するといったことを繰り返してきた。

30年以上膠着状態だったナゴルノ・カラバフで紛争が再燃した背景には、アゼルバイジャンとアルメニアの和平交渉が遅々として進まなかったこと、30年前と国内の状況が変わって、当時敗戦したアゼルバイジャンの方が経済成長を成し遂げ、軍事費も増大して力のバランスが変わったこと、そしてアルメニアとその後ろ盾だったロシアとの関係が希薄になったことが挙げられる。

その結果、アゼルバイジャンがこれに乗じて一気に土地を奪い返し、大勝利を収めたのである。

これにより、アルメニアは急速に弱体化してロシアに頼らざるを得なくなった。停戦合意の条件として監視部隊を停留させることになったロシアが地域一帯への影響力を強めることになれば、国際情勢にどのような影響があるのかが注目される。

チェチェン

独立の火種がくすぶり続ける

テロ事件で注目を浴びた兄弟

2013年4月に起きた、アメリカのボストンマラソン爆弾テロ事件を覚えているだろうか。多くの観客が集まるゴール地点で、突如として爆発が起き3人が死亡、260人以上が負傷する大惨事となった事件だ。

このテロの犯人は、アメリカに住んでいたチェチェン人の兄弟だった。そのため、ロシアからの独立問題で紛糾するチェチェンの主張をアピールしたいがための犯行だと思われたが、テロ組織とのつながりはなかったようだ。

26歳の兄の方は銃撃戦の中で死亡し、19歳の弟もあまり多くを語っていないので、犯行の動機が明らかになっているとは言いがたい。しかし、彼らの背景をさぐってみると、チェチェンの人々が背負う重荷の存在がみえてくるのである。

独立志向の強いチェチェン人

83の国や州などで構成される連邦国家ロシアのうちのひとつであるチェチェン共和国は、広大なロシアの西方に位置する国だ。日本の四国ほどの大きさの国土をカスピ海と黒海に挟まれており、南側にはカフカス山脈が広がっている。

18世紀まではオスマントルコの支配下にあり、中世からイスラム教を信仰していた。そこに19世紀、ロシアが侵攻してきた。周辺の国々が次々と膝を屈するなか、チェチェンは最後まで抵抗した。

1859年にはとうとうロシアに併合されたが、チェチェン人は、ロシアとは言語も信仰も人種も異なっているため独立志向が強く、併合後も従順とは言いがたかった。そして、1991年になってソビエト連邦が崩壊すると、ここぞとばかりに独立宣言をした。

マラソンのゴール地点で爆発が起こった直後の様子(©Aaron "tango" Tang)

しかし、チェチェン内部でも残留派と独立派に分かれたため、内戦が始まった。これにロシアが介入し、武力で押さえつけようとしたために勃発したのが、2度にわたるチェチェン紛争である。この戦いは2009年に終結したが、その火種は今もくすぶったままだ。

ロシアがチェチェンに固執する理由は、支配欲からくるメンツもあるが、もっとも明確なのは資源問題だ。チェチェンには油田があり、隣国アゼルバイジャンと黒海を結ぶパイプラインも通っている。

チェチェン紛争は合計10万とも20万人以上ともいわれる死者を出すほどの壮絶な戦いだったが、パイプラインはロシアの攻撃を受けず、ほぼ無傷だった。ロシアがどれだけこのパイプラインを失いたくないかがわかるだろう。

複雑な国の事情が人々を翻弄する

ボストンマラソン爆弾テロ事件の犯人も、チェチェン紛争に翻弄されて育った。彼らの祖父母は、スターリンの強制移住によってキルギスに移った。そこで兄弟の父が生まれる。その後ソ連が崩壊したためロシアに移り住み、兄弟の兄の方が生まれた。しかし紛争のためにまたキルギスに移らざるを得ず、弟はキルギスで生まれている。のちに家族は揃ってアメリカに移住したが、兄弟は最終的にテロ行為に走った。

ただし、チェチェンをルーツに持つ者が起こしたテロ事件とチェチェンをすぐに結びつけるのは短絡的だ。２０２０年にパリ近郊で起きた男性教師の断首テロ事件の際にも、チェチェン共和国のカディロフ首長がＳＮＳで「チェチェンと事件は無関係である」と表明している。

とはいえ、チェチェンを含むロシアの北コーカサス連邦管区では、武装集団による無差別のテロ事件が頻発しており、ＩＳＩＬの影響力も増しているとして警戒レベルは上がっている。

チェチェンは２０２０年現在、ロシア連邦を構成する共和国のひとつとなっている。チェチェン人がその独立心のもとに真の独立国家として国際社会の仲間入りを果たす日はまだ遠いというしかないだろう。

2つの独立問題を抱える ジョージア

いくつもの名を持つ国

ジョージアは、つい最近まで、日本では「グルジア」と呼ばれていた国だ。とはいえ、グルジアがみずから国名を変更したというわけではない。以前から、国連加盟国の多くでは、この国はジョージアと呼ばれていた。グルジアという国名を使っているのは、日本やロシア、旧ソ連の国々などの少数派だったのだ。それを、2015年4月に成立した法律により、日本でも「ジョージア」という英語読みで呼ぶことになったのである。

この事実だけでも、何やら複雑な事情があることがわかるだろう。

ちなみに、現地語での正式名称は「サカルトベロ」という。いくつもの名を持つこの国は、いったい、どのような場所なのだろうか。

2ヵ所で起きた独立運動

ジョージアは黒海に面し、ロシアやトルコなどと国境を接している。そして、ロシアとの国境付近一帯は、日本の外務省から渡航中止勧告が出ているほど危険な状態になっている。

南オセチアに進軍したロシアの戦車（©Yana Amelina (АмелинаЯА)）

そもそもの発端は、2008年に起きた独立運動にある。ジョージア北部には、独立を目指す南オセチアがあったが、そこにジョージア軍が攻撃を行ったのだ。

さらに、西部のアブハジアでも同様の衝突が起きたため、周辺地帯は一気に紛争状態に突入した。

どちらもかねてから民族問題がくすぶっていた土地なのだが、ここで出てきたのがロシアである。

じつは、ロシアはこれらの独立に対して密

かに準備を進めており、この時点で、南オセチアとアブハジアの住民の約9割は、ロシアのパスポートを持っていた。そのため、ロシアは「自国民を保護する」という名目で軍を動かすことができたのである。

こうしてジョージアとロシアは、国境周辺で大規模な軍事衝突をすることになった。ちょうど、平和の祭典であるオリンピックが北京で行われていたさなかの出来事だった。

その後、EUが仲介して停戦合意が成立し、南オセチアとアブハジアは事実上の自治を獲得したが、ジョージアとロシアは国交を断絶した。

ジョージア西部の都市ゴリの住宅に残されたロシア軍のミサイル

問題の地域周辺では、周辺住民の身柄が拘束されたり、通行に極端な制限がかかったりしている。また、戦闘が激しかった地域には、ロシア軍が使用した地雷やクラスター爆弾の不発弾がそのまま放置されているという。

都市部の治安は回復したが……

ジョージア内務省の統計によれば、犯罪件数はその年によって増減があるものの凶悪犯罪は激減し、治安は急速に回復しているとみることができる。それとともに、日本人を含む外国人観光客の数も増えてきた。

すると問題になるのは、物乞いやひったくり、強盗など観光客を狙った犯罪が増加することだ。観光客が集まる首都トリビシをはじめとする都市部では、殺人や強盗、レイプなどの凶悪犯罪が起きる危険は少なくなったものの、多額の現金を持ち歩かないなどの基本的な注意は必要だ。

そしてロシアとの国境付近、特に南オセチアとアブハジア一帯にはジョージア政府の統制が及んでいないため、絶対に足を踏み入れてはいけない。

ジョージアとロシアが国交断絶状態にある以上、万が一の時には出国すら危うい状況にもなりかねないことを忘れてはいけないのである。

学校へ通う子供たちが狙われる パキスタン

ノーベル平和賞を受賞した17歳の少女

２０１４年10月、パキスタン出身の17歳の少女マララ・ユスフザイが、史上最年少でノーベル平和賞を受賞することが決まった。

ノーベル平和賞といえば、アメリカのオバマ元大統領やＥＵなど、世界的に有名な政治家や組織が受けるのが一般的だが、マララはそれまであまり有名ではなかった。この少女は、何を認められて受賞に至ったのだろうか。

パキスタンは、西はアフガニスタンとイラン、東はインドに接し、日本から見れば中東への入り口ともいえる国である。

アフガニスタンとの国境沿いでは、北西部を中心にイスラム過激派によるテロ事件が多発している。２００９年をピークに減少傾向にあるものの、２０１９年には２２９件のテロ事件が起き、３５７人が死亡、７２９人が負傷している。

マララは、こうしたイスラム過激派の一派であるＴＴＰ（パキスタン・タリバーン運動）が支配していたパキスタン北西部の出身だ。

女性が教育を受ける権利を否定しているＴＴＰに対し、マララは「女性にも教育を受ける権利がある！」とブログを通じて真っ向から立ち向かった。このことをパキスタン政府が「勇気ある少女」として実名で紹介している。

しかし、それがきっかけで悲劇が起こった。激怒したＴＴＰはスクールバスで下校中のマララを襲撃し、銃弾を浴びせかけたのである。

マララは頭部と首に銃弾を受ける瀕死の重症を負った。当時、まだ15歳の少女への凶行だった。

ノーベル平和賞のメダルをかかげるマララ・ユスフザイ（写真提供:EPA＝時事）

治療のためイギリスに移送されたマララは奇跡的に回復し、女性が教育を受けるための活動を続けた。その功績と勇気が讃えられてノーベ

2014年12月に起きたペシャワル学校襲撃事件の犠牲者
(©Asianet-Pakistan/Shutterstock.com)

ル平和賞を受賞したのである。

学校の子供たちを襲ったテロ組織

しかし、パキスタンではその後も子供の殺害もいとわない凄惨なテロが後を絶たない。２０１４年12月には、北西部のペシャワルで学校が襲撃されている。並んで立たされた挙句に射殺されるなどして殺害された１４８人のうち、１３２人は学校に通っていた子供だった。これもパキスタン軍への報復だとしてＴＴＰが声明を出している。

このような残虐なテロ事件を起こしているＴＴＰは、パキスタン政府の打倒を掲げるイスラム武装組織だ。

かつてパキスタン政府は、アフガニスタンのタリバーンを軍事面や資金面で積極的に支援していた。しかし、2001年9月11日にアメリカ同時多発テロ事件が起きると、パキスタン政府もアメリカ主導のテロとの戦いに協力せざるを得なくなった。

この政策転換がパキスタン政府と国内のイスラム過激派との関係に亀裂を生み、2007年に複数のタリバーン系の組織が統一する形でTTPが結成されたのだ。これ以降、パキスタン各地ではテロ事件が激化することになった。

身代金目的の誘拐が多発する

テロ事件のほかにも、パキスタンでは宗派間や部族間抗争での戦闘が常に絶えず、また誘拐事件も頻発している。

2014年に発生した誘拐事件は、公表されているだけでも29件で、実際の数はその何倍にもなるといわれている。マフィアなどの犯罪集団による身代金目的の誘拐もあるが、イスラム過激派が資金調達や政府に拘束されている仲間の釈放を求めて誘拐するケースも少なくない。

主にパキスタン人の富裕層が狙われることが多いが、外国人がターゲットにされることもある。

２０１１年には、パキスタン東部のパンジャブ州でアメリカ人男性が自宅にいたところを誘拐された。武装組織アルカイダが犯行声明を出していたが、２０１５年になって男性の死亡が確認されている。

また、２０１４年には自転車で旅行中だった中国人観光客の男性がパキスタン北西部のハイバル・パフトゥンハー州でＴＴＰの分派組織に誘拐されている。この中国人男性は、いまだに解放されていない。

２０１７年にはバロチスタン州クエッタ市において中国籍の男女２人が警官を装って近づいた武装勢力に拉致され、殺害されるという事件が起きた。この事件については、イスラム過激派テロ組織ＩＳＩＬが犯行声明を出している。

一定の治安が戻るも先行きは不透明

近年のテロ事件の特徴としては、不特定多数を狙った大規模なものが減っている一方で、ローン・ウルフ型と呼ばれるテロ組織と関わりのない個人が犯行に及ぶケースが増えたことが挙げられる。

テロのターゲットとなっているのは半分以上が軍や治安関係者ではあるが、一般市民を狙った事案も一定の割合で発生している。

２０１８年にはマララを襲撃した事件の首謀者で、ＴＴＰの指導者だったファズラがパキスタンとの国境に近いアフガニスタン東部でアメリカ軍のドローン攻撃を受けて死亡したというニュースも流れた。

近年では、パキスタン当局がテロ掃討作戦に力を入れていることもあって、パキスタン国内でのテロ組織の活動は多少は鎮静化しているが、その多くは隣国や周辺地域、国境付近に逃れて活動しており、いつその勢力を盛り返してもおかしくはない。

日本の外務省からは、アフガニスタンとの国境付近一帯に退避勧告が出されている。危機意識が低いまま、うかつに入国すれば、大規模なテロ事件や誘拐事件に巻き込まれることもあり得るのだ。

21世紀最大の人道危機が起きた スーダン

民兵組織が民族浄化を始める

スーダンは北アフリカに位置する、日本の約5倍の面積を持つ国である。

２０１１年には長い内戦の末に南部が南スーダンとして独立したが、それまではアフリカでもっとも大きい国だった。古くは隣国エジプト文明の影響を強く受け、それに関連する世界遺産もあるが、現在は残念ながらそうした文化的側面がかすんでしまうほど物騒なイメージが強い。なぜなら１９５６年の独立以来、この国では常に何かしらの紛争が起こっているからだ。

近年でもっとも深刻な事態を招いたのは、ダルフール地方での紛争である。

もともとこの地には、イスラム教を信仰するアフリカ系黒人のフール人が暮らしていた。ところが、隣国チャドで起こった内戦の影響で、アラブ系の遊牧民族が移り住んできたことから不穏な空気が漂い始める。

武器をかかげるジャンジャウィードの一員(写真提供:AFP＝時事)

どちらもイスラム教を信仰するが、先住民のアフリカ系とアラブ系移民の間には民族的な対立があったため、ついに紛争が起きたのだ。

本格的な紛争の始まりは、2003年だ。アフリカ系の組織に対抗し、アラブ系の民兵組織「ジャンジャウィード」が応戦した。ジャンジャウィードは現地の言葉で「馬に乗って武器を振り回す男たち」という意味を持つ。

このジャンジャウィードに武器の調達をするなどしてバックアップしたのは、ほかでもないスーダン政府軍だった。

しかも、それだけではおさまらず、アフリカ系の一般国民に対し「民族浄化」、すなわち虐殺による排除を展開したのである。

その結果、ダルフールにある数百というア

フリカ系の村は焼かれ、約20万人もの死者を出す惨事となった。

しかも、スーダン政府軍は無差別な空爆という暴挙にも出ている。仮に命拾いしても破壊された町に住むことはもはやできず、およそ30万人が隣国のチャドへ逃げ込み、また220万人が国内で避難生活を強いられたのである。

国連はこの紛争を「21世紀最大の人道危機」と位置づけて非難し、スーダンは国際的に孤立した。虐殺を指揮し、事実上の独裁者だったバシル大統領には、2009年に国際刑事裁判所から逮捕状が出された。

バシル大統領は、2019年に民主化運動と軍のクーデターによって失脚し、逮捕された。スーダンの裁判所によって汚職の罪で有罪となったバシルは、高齢のために更生施設に収監されていた。

さらに、2020年に戦争犯罪などの罪により、国際刑事裁判所に身柄を引き渡されることが国内で合意されたという報道がされた。民族浄化による大量虐殺を含む戦争犯罪によってバシルが裁かれることで、ダルフールで何が起きたのかという全貌が明らかになることが期待されている。

2020年10月には複数の主要な反政府組織が和平に応じる姿勢を見せており、17年続いたダルフール紛争はここにきて解決の兆しを見せている。

コロナ禍による大量の難民流入

しかし、スーダンにはまたひとつ別の火種が生じている。隣国エチオピア北部のティグレ州から大量の難民が流入しているのだ。その数は2020年11月10日以来、毎日4000人のペースで増え続けている。

ティグレ州で政府軍とティグレ人民解放戦線の戦闘が激化したことによる避難民は、12月の時点で5万人以上に達している。もともと周辺各国からの難民の流入が多かったスーダンはすでに100万人を超える難民を抱えており、自国の経済状況もお世辞にもいいとは言えない状況の中でさらなる苦難に直面している。

国際社会もスーダンへの人道支援に乗り出してはいるが、新型コロナウイルス感染症のために移動制限もあり、援助の手はなかなか行き渡っていないのが実情である。

独立以来内戦が続く 南スーダン

独立後数年で始まった内戦

今、世界でもっとも危険な国のひとつといわれるのが南スーダンだ。50年にもわたる独立紛争の末に、２０１１年７月にスーダンから独立した若い国である。豊富な石油資源や、農業に向いた肥沃な土地に恵まれた南スーダンの独立は、希望に満ちた出来事だった。ところが、わずか数年で地獄のような風景が全土を覆い尽くすことになるのである。

２０１３年12月、南スーダンの首都ジュバで政府軍と反政府勢力の衝突が起きた。ジュバの幹線道路は封鎖され、国際空港も一時閉鎖されるといった厳戒態勢が敷かれ、その後、この衝突の余波が全土に広がっていったのである。

この紛争のそもそものきっかけは、大統領と前副大統領の政権闘争だった。そこに民族間の対立が絡み、もはや内戦状態にまで発展してしまっている。

一時暫定首都になった都市ルンベクで牛の遊牧を営む人々（©JennaCB123/CC BY-SA 3.0）

２０１８年に停戦合意がなされたものの、各地で武力衝突が続いており政情は不安定なままだ。

少年に人を殺させる武装集団

南スーダンで何より悲惨なのは、子供たちの置かれた状態である。

国連児童基金（ユニセフ）の発表では、２０１３年以降で約１万７０００人の子供たちが少年兵として戦地に送られたという。

武装集団は集落を襲い、少年や少女を選んで誘拐していく。そして、暴力と恐怖によって支配して少年兵へとつくり上げ、人を殺させているのである。

また、子供たちは暴力の犠牲にもなってい

る。2015年6月のユニセフの声明では、5月の3週間の間にユニティ州だけで129人の子供が殺されたという。暴力やレイプの犠牲になって命を落としたのは、10歳にも満たない子供たちだった。

コレラの流行と停戦合意の失敗

南スーダンの惨状に追い打ちをかけているのが、コレラの流行である。

幼い子供にとってコレラは命をおびやかす感染症であり、感染防止が急務なのだが、避難民キャンプなどでは衛生状態も悪く、汚染されていない水を手に入れることも難しくなっている。

紛争や感染症の危険にさらされる人々をさらに苦しめているのが、飢餓である。2020年10月から11月にかけて、国内の650万人もの人々が食糧不足に陥っている。

国連やNGOが支援物資を届けようにも、その職員たちすら誘拐や強盗の対象となってしまうため、救援活動もままならない。

南スーダンで2013年に始まった紛争による犠牲者は、2018年9月の時点で少なくとも38万2900人に及ぶと発表された。これは、シリアの内戦に匹敵する多さになる。2018年時点で、国外避難民は約228万人以上となっている。

このような情勢の南スーダンに対して、国連安全保障理事会は平和維持部隊を増員して派遣している。日本の自衛隊も参加して避難民などのケアにあたっているが、故郷を追われる人々は増える一方だという。

過去、数回にわたって停戦合意が交わされているものの、実際戦闘がやむことはなく、状況は刻一刻と悪化しているといわざるを得ない。2020年には激しい武力衝突の巻き添えになった「国境なき医師団」のスタッフ1人が殺害されるという事件も起きた。

このような、覚めない悪夢のような場所に、一般人が足を踏み入れることはけっしてできないのである。

4章　政治や宗教の問題を抱える国

閉ざされた独裁国家 北朝鮮

日本との国交はない

日本から「近くて遠い国」といわれるのは、正式な国連加盟国の中で唯一、日本と国交のない北朝鮮である。

2国間には、日本人拉致問題をはじめとして、ミサイルや核の問題など、解決されていない難問が山積している。国交正常化交渉も依然として進まない状態だ。そのため、北朝鮮には日本大使館などの政府機関がなく、入国するのに必要なビザなども基本的には北京などの経由地で取得しなくてはならない。

仮に入国できたとしても、空港や駅舎など写真撮影が禁止されている場所も多く、また通信機器など、持ち込みを禁止されているものがある。

もしそうした規則を破れば、当局に没収されたり、場合によっては拘束や逮捕といった可能性もある。

防衛省の市ヶ谷基地に展開した地対空誘導弾ペトリオット（出典：防衛省ホームページ）

しかも、トラブルに巻き込まれても大使館がないので、日本政府による保護もそう簡単にはいかない。

内部についての情報も、限られたものしかオープンにされていないため、世界でもっとも得体の知れない国のひとつといっても過言ではない。

日本に向けられて発射されたミサイル

そんな北朝鮮の脅威といえば、まずはミサイルや核などによる威嚇である。

たとえば、2014年3月には、「ノドン」といわれる準中距離弾道ミサイル2発が日本海に向けて発射されている。

飛距離は650キロメートルで、日本海

上に着弾したが、幸いにも航行する船舶などに被害はなかった。だが、ノドンの射程は1300キロメートルといわれており、日本列島は射程圏内に入っているのだ。

サイバー攻撃にも関与している？

また近年は、インターネット上でのサイバー攻撃も激しさを増している。

2013年3月には、韓国の銀行や放送局が大規模なサイバー攻撃を受け、4万8000台のコンピューターがダウンし、ネットワークシステムに障害が起きて大混乱となった。

北朝鮮による韓国へのサイバー攻撃は以前からたびたび行われていて、韓国捜査当局は北朝鮮が関与しているとの見方を示している。というのも、北朝鮮はサイバー戦を担当する組織を編成し、ハッキングを行うためのサイバーテロ訓練まで実施しているからだ。

サイバー戦を担当しているのは、北朝鮮軍偵察局の「121局」や「91部隊」と呼ばれるサイバー攻撃部隊で、近年、北朝鮮はこの部隊へ力を注いでいるといわれる。

しかも、北朝鮮のサイバー攻撃の標的は韓国だけではない。2014年11月には、ソニーのアメリカの映画子会社であるソニー・ピクチャーズエンタテインメント（SPE）が大規模なサイバー攻撃を受けた。この攻撃で未公開映画の映像やハリウッドの有名俳優らの個人情報などが漏洩し、アメリカ国内でも大騒ぎとなったのである。

当時、SPEは北朝鮮の最高指導者の暗殺をテーマにしたパロディ映画の公開を控えていて、北朝鮮はこの映画の封切に猛反発していた。上映を決めた映画館に対して、ハッカーがテロを示唆する書き込みをネット上にしていたこともあり、SPEへのサイバー攻撃も北朝鮮の関与が疑われている。

サイバー攻撃の舞台は日本を含む世界30か国以上で、金融機関にもサイバー攻撃を仕掛けているという。2020年にはアメリカの国土安全保障省や連邦捜査局から、「北朝鮮のサイバー攻撃が活発化している」という警告が世界に向けて出された。

国内に立ち入らなくても攻撃を受けることがあるという点では、どこの国よりも危険だといえるかもしれない。

アメリカ人大学生の死

2017年にはアメリカ人の大学生が北朝鮮に拘束されて消息不明になった挙句、

意識不明のまま帰国して間もなく死亡するという事件が起きた。

北朝鮮の説明では、ボツリヌス菌による昏睡状態だったというのだが、両親は「息子は脳に重大な損傷を負っていた。北朝鮮による拷問の結果だ」としている。

彼の両親はユダヤ系アメリカ人の資産家であり、政治家とも強いパイプのある有力者だ。世界中に張り巡らされたユダヤ人ネットワークや政治家の人脈を使って、2020年にはアメリカ国内の銀行に凍結されている北朝鮮の関連口座にある2379万ドルをあぶり出している。

この大学生の死によってアメリカの世論も硬化し、北朝鮮と取引する個人や金融機関がアメリカの金融機関と取引できないようにする制裁法案も可決している。

金与正は後継者なのか

常に健康不安がつきまとう北朝鮮指導者の金正恩《キムジョンウン》だが、後継者と目されていたのが彼の妹である金与正《ヨジョン》だ。国内外の視察などでは常に兄に随行し、政権内部でナンバー2とされていた彼女が、2020年の党人事で政治局から抜けた。このことが、金与正の後継者レースからの脱落を示しているのかどうかについては見方が分かれる。

党人事の中心から抜けたとはいえ、中央委員会の委員としては依然として名を連ねており、30代半ばとみられる若さなどの理由から、いったん政局から距離を置いたのではという見方もあるようだ。

とはいえ、一度権力の座に就いたとしても、金正恩の胸先三寸であっという間に転落し、ときに処刑されてしまうのが北朝鮮の実情だ。２０２０年には電波探知機の新規導入に関する不正疑惑の名のもとに、北朝鮮の秘密警察である国家保衛省の幹部8人が処刑された。処刑の命令を下したのは、金与正である。

今なお実態が見えてこない独裁国家の中では、少しでも油断したらどんな立場の者であっても命を落としてしまう。そのことが外部から見ると、いっそう不気味さを増しているのである。

放置されている未承認国家 シーランド

要塞の不法占拠から始まった「国」

イギリスの沖合約10キロメートルの地点に、第2次世界大戦中にイギリス軍によってつくられた人工島が存在する。

幅9メートル、長さ23メートル、面積は207平方メートルほどで、テニスコートほどの大きさだ。2本の巨大な円柱に甲板が乗っているシンプルな建造物だが、第2次大戦中は対空砲台などが設置された要塞として活用されていた。

戦後、放棄されていたこの要塞が、再び脚光を浴びたのは1967年9月2日のことである。元イギリス軍少佐ロイ・ベーツが突如要塞を占拠し、シーランド公国の独立を宣言した。

ベーツは不法な放送局を運営しており、放送法違反で訴えられていた。そこで、独立国をつくってしまえばイギリスの法律は及ばないと考えたのである。

独立国を自称するシーランドの国土(©Ryan Lackey)

イギリス政府は、「不法占拠にあたる」として提訴した。しかし、裁判所が出した判決は、「イギリスの領海外のことにつき、イギリス司法の管轄外である」というものだったから驚きだ。

その結果、シーランド公国は「合法的に」存続できることになり、ベーツは大手を振って「シーランド国営放送局」を開局したのだ。

認められないまま放置されている

当然のことながら、世界中でシーランド公国を国家として認めている国は存在しない。「海洋法に関する国際連合条約」によれば、「自然に形成された陸地」だけが「島」として認められている。人工の島は領土としては認められないため、国家として認めることはできないのだ。

しかし公海上にあるため、どの国も基本的には干渉せず放ったままにしているというのが現状だ。

現在、ロイ・ベーツは亡くなり、息子のマイケルが2代目シーランド公となっている。

過去にはカジノの経営を計画したこともあり、そのために首相に任命した西ドイツの投資家アッヘンバッハが利益の独占をもくろんで、クーデターを起こして投獄されたこともある。

その際は西ドイツ政府を巻き込んだ騒ぎになったのだが、西ドイツの外交官が派遣されたことに対し、ロイ・ベーツ公はシーランド公国が国家として扱われたと感激して、アッヘンバッハを無償で解放したという。

しかし投獄とはいっても、監獄もなく一緒に生活していたというのだから、当事者たちがどこまで本気でやっていたのかは謎だ。

国民になるのは意外と簡単

じつは、このシーランドの一員になるのは意外と簡単である。インターネット上で爵位を買えるのだ。

シーランド公国公式ホームページによれば、男爵と女男爵は29・99ポンド、伯爵と女伯爵は199・99ポンド、そして公爵と女公爵は656・53ポンドとなっている。

一説では、市民権は500人以上に与えられているというが、実際に居住していないため、どれだけの国民が存在するかは定かではない。

シーランド公国に行くにはイギリスの海岸から高速ボートが使えるが、上陸するには、荷物などの巻き上げ作業に使うウインチで釣り上げてもらうしかない。そのためか、観光客が増えているという情報はない。

他国の法律が及ばないため、過去にはウィキリークスがその拠点を移すのではないかというまことしやかな噂もあった。

現在は国土の老朽化が進み、売りに出されているシーランド公国だが、もし悪用する輩の手に渡ればたちまち危険地帯となるかもしれないため、油断はできないのである。

女性は入れない アトス自治修道士共和国

ギリシャ正教徒の男性のための国

男女平等意識の高いヨーロッパの中にあって、いまだに女性の立ち入りを絶対に許さないという国がある。それは、ギリシャ北部のアトス山にあるアトス自治修道士共和国だ。

ここはギリシャ共和国内にありながら、ギリシャ政府の権限が及ばない宗教国家である。というのも、この山は古くからギリシャ正教最大の聖地で、足を踏み入れることができるのは18歳以上のギリシャ正教徒の男性だけだ。

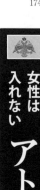

国内には20の修道院があり、各修道院の代表により構成される評議会から、毎年ひとりが交代で長官となり自治を行う。約１８００人いる住民もほとんどは修道士で、日々、祈りと労働の禁欲的な生活を送っている。

アトス山からギリシャに通じる道路はなく、入国するには１日２便のフェリーを利用するしかない。

しかも入国には人数制限があり、事前に面倒な手続きを要する。首都のカリエスには、土産店やカフェなどもあるが、実際に訪れることができる旅行者はそれほど多くないのだ。

海上から見たアトス（©World Public Forum Dialogue of Civilizations）

世界遺産に登録された自然の風景

立ち入るためには、ギリシャの外務省宗教課に巡礼許可（ビザ）を発行してもらわなければならない。発行には1ヵ月ほどかかり、その後ようやく小舟に乗船しての入山が認められる。

アトス自治修道士共和国があるのは標高2033メートルの岩山で、エーゲ海に面した断崖絶壁に位置する。陸路は深い森におおわれており、立ち入るためには海からのルートしかないのだ。

アトス内の風景（©zrad/Shutterstock.com）

一般人の立ち入りを拒んできた厳しい自然の景観は素晴らしく、世界遺産にも登録されている。

内部には電気もガスも通っておらず、修道士たちは中世時代さながらの修行生活を送ってきた。そのほとんどは島を出ることなく生涯を終えるという。

生きている女性を見たことがない

彼らにとって女性は聖母マリアだけで、「生きている女性を見たことがない」人がほとんどだ。

内部にメディアなどの取材が入ることもほとんどなく、厳格なまでに閉ざされた世界が連綿と続いているため、謎の宗教独立国と呼ばれてきた。

しかし、その実態はといえば、敬虔な宗教観のもと神に感謝し、他者をいたわる、驚くほど平和な暮らしなのだという。

女人禁制に関しては１４０６年に制定されて以来、６００年以上も徹底して守られていて、家畜ですらメスの入国は許されない。もし強引に入国しようものなら、禁固刑が下されることがあるという。

厳格な女人禁制のために、女性の立ち入りはギリシャの法律でも禁止されている。２００８年にはモルドバ人の女性４人がアトス山に立ち入ったところを修道士に発見されて警察に通報されている。

法律では禁固２年の刑が科せられる可能性もあったが、女人禁制を知らなかったとしたことで無罪放免となった。女性は、沖合いの船から遠巻きにアトス山の雄姿を眺めるのが精一杯だ。

中世そのままの美しい建物や自然の魅力は人々の興味を引きつけるが、そう簡単に立ち入れない神秘的な国なのである。

世界で唯一の分断首都を持つ キプロス

首都の半分は別の国

地中海に浮かぶキプロス島は、豊かな自然と豊富な海の幸で知られている。面積は四国の半分ほどの小さな島であるが、じつはこの島は政治的に分断されているのである。

第2次世界大戦前、キプロスはイギリスの領土だった。１９６０年に独立を果たしたのだが、その後１９７４年にトルコ軍の侵攻にあい、南北に分断されてしまったのだ。その結果、北部には「北キプロス・トルコ共和国」、南には「キプロス共和国」が誕生した。しかし、北キプロスを国家として承認しているのはトルコだけで、国際的には南のキプロス共和国しか認められていない。

さらに、どちらもともに、国境線上にある都市ニコシアを首都と定めた。

このことで、ニコシアは世界で唯一の分断首都となり、中心部では国連が設置した緩衝地帯に張り巡らされたバリケードが南北を分ける異常事態となったのである。

国家として承認されていない北キプロスでは、日本大使館なども公的に活動することはできない。つまり、もしもトラブルに巻き込まれたら、自力で何とかするしかないということである。

ニコシアの街を分断していた壁(©Hansueli Krapf/CC BY-SA 3.0)

また、外国人のパスポートに北キプロスの入国印が押されている場合、キプロスへの「不法入国」とみなされてしまう。
そうなると、キプロスと隣国のギリシャに入国できなくなってしまうので、北キプロスの入国印は別紙に押してもらう必要がある。

「脱税天国」と呼ばれる理由は？

じつはキプロスには、タックスヘイブンとしての側面がある。
タックスヘイブンは、もともとは租税回避のための場所だが、脱税やマネーロンダリングなど、不透明な金融取引に悪用されることもある。

実際、キプロスはロシアンマフィアの資金を隠すために使われ、間接的にマフィアの犯罪や脱税を助ける形になっていた。そのため、「脱税天国」などと呼ばれることもあったほどである。

特に、キプロスでユーロが導入された2008年には、各国の資金が流入してバブルが発生し、マネーゲームの舞台となる。銀行はハイリスクな投資をし、華やかに躍り狂った。

しかし、バブルはあっけなく弾けた。2013年にはギリシャ危機のあおりを受けて金融危機に陥っており、残されたのはお隣のギリシャと同じデフォルトの危機と、「国民の預金に課税して危機を乗り越えよう」などという提案をする国に対する国民の不信感である。

統合をめぐる動きと軍隊の駐留

近年は、キプロス再統合への動きが活発になってきている。

２００８年には、分断の象徴だったニコシアのバリケードが撤去され、新たに検問所が設けられ往来がしやすくなった。２０１５年の交渉では、検問所を増加して往来を促すなど、再統合への動きは一時期活発化した。

しかし、東地中海でガス田探査をめぐってトルコとギリシャが対立したことで、統合の見通しが立たなくなった。２０２０年10月の大統領選挙では、再統合に否定的なタタル首相が当選を果たしている。

キプロスの治安は比較的安定しており、日本の外務省からも特段の注意喚起はなされていないが、地図を見ると、海を挟んでトルコやシリアなどのイスラム諸国と隣り合っていることもあり、今後も難しい舵取りを迫られることが予想される。

もしこの国に足を踏み入れることがあれば、こんな事情があることを忘れてはならない。

一見平和な独裁国家 トルクメニスタン

中央アジアの北朝鮮

トルクメニスタンは、「中央アジアの北朝鮮」などと呼ばれることがある。ソ連崩壊直後に独立した国のひとつだが、独立と同時にニヤゾフ大統領による独裁政治が始まったためである。

２０２０年の「国境なき記者団」による世界報道自由ランキングで、北朝鮮に次ぐ世界ワースト２に選ばれたほどの厳しい情報統制が敷かれている。

２００６年にニヤゾフが急死した後も、ベルディムハメドフ大統領がその後継となって独裁体制が続いている。このことからみれば典型的な独裁国家なのだが、国民たちの暮らしぶりは、そのイメージとは少々異なっている。首都アシガバットの街並みは道路が整備されて整然とし、計画的な植樹によって緑があふれていて平和そのものに見える。広場には噴水も設置されており、この国が砂漠の中にあることを忘れてしまうほどだ。国民は気さくで、旅行者にも親切な人が多く、独裁政権に抑圧されているという悲壮な雰囲気を感じ取ることはできない。

国民の支持を得た独裁者

では、独裁者ニヤゾフはどのような人物だったのだろうか。

ニヤゾフは、自分が大好物だという理由だけで「メロンの日」を記念日として制定したかと思えば、「田舎の人は本など読まない」という理由で首都と大学以外の図書館を廃止したり、「病人は首都に行けばいい」という見解で地方の病院を閉鎖してしまったりするなど、気分しだいともいえる奇妙な政策を数多くとってきた。

一方で、豊かな天然資源から得た利益を国民に還元した。公共料金は無料もしくは格安で、住宅も公平に割り振られ、医療費

街中に設置された黄金のニヤゾフ像(©Dave Proffer)

や教育費もかからない。日々の食糧に困ることもなく、安定した暮らしを送れることが国全体の雰囲気を明るくしているのである。

そのせいか、ニヤゾフに対して国民が不満を漏らすようなことはなかったという。死去した今もなお、ニヤゾフは尊敬の対象であり、街の中にはニヤゾフ大統領の黄金の銅像や胸像、肖像画があふれ、国民は彼のことをトルクメン人の長《おさ》という意味の「トゥルクメンバーシ」と呼ぶ。

平和の裏にある監視と情報統制

しかし、一見おだやかに見える国民生活の一方で、独裁国家ならではの厳しい情報統制が敷かれている。機密情報扱いとなる交通事故や犯罪の統計データなどはいっさい公表されておらず、その実態は不透明といわざるを得ない。

インターネットなどの使用は極端に制限され、一般家庭のパソコン普及率もきわめて低い。市民たちは、外部から見た独裁政権の実情を知る術がないのである。

在トルクメニスタン日本国大使館によれば、深刻な麻薬問題や失業率、外国人労働者の増加といった状況は、周辺各国とさほど変わらないという。街には警察官の姿が多く、行きかう人々に監視の目を光らせている。

潜在的な失業率の高さから、住民の間の経済格差も広がっている。実際、生活には困らないとはいえ、賃金は驚くほど安く、1日中公園の中を掃除して支給されるのはたった1ドルだという。このことへの不満が窃盗などの犯罪を生み、特に外国人がスリや窃盗、置き引きなどの被害にあうことも多いのだ。

また、外国人は正当な理由がない場合は午後11時以降は外出禁止で、外出すると、警察に職務質問されたうえで身柄を拘束されることがある。政府関連の建物などは撮影禁止で、万が一警察に見つかれば、撮影したデータを消去され、カメラを没収されかねないという。

表面上は安定しているように見えても、内情は独裁国家そのものの厳しい監視体制が敷かれている。そう思うと、金色に輝く前大統領の銅像や、緑あふれた街並みがとたんにうすら寒いものに見えてくるのである。

宗教が生んだ危険地帯 イスラエル

2000年あまり続く紛争

イスラエルは、はるか昔から戦火の絶えない国として知られている。

近年になって市街地に爆弾が投下され、民間人から多数の死傷者が出ている。日本の外務省の海外安全ホームページに掲示されている地図を見ると、「注意」を促す黄色と、「不要不急の渡航中止」「渡航中止勧告」を示すオレンジ色でほぼ全域が塗られているのがわかる。特に問題のない地域であることを示す白色の場所もあるが、それは死海やガリラヤ湖、つまり人のいない場所だ。

地図に色がついた場所では多くの人々が日常生活を営んでいるが、そこには時としてミサイルが撃ち込まれ、戦車が一般道を走り回る。日本の四国程度の大きさの場所で、このような状況が何十年にもわたって断続的に続いているのだ。

なぜ、この国はこれほど長い間、危険な場所であり続けているのか。これを理解す

聖墳墓教会、岩のドーム、嘆きの壁が並ぶエルサレム（©David Shankbone/CC BY-SA 3.0）

るには、２０００年ほど歴史をさかのぼってみる必要がある。

３つの宗教の聖地が集まっている

イスラエルが建国されたのは１９４８年である。数字だけを見ればまだ若い国だといえるが、それよりもはるか前の紀元前から、この地には争いが絶えなかった。

争いの原因は、宗教である。キリスト教徒、イスラム教徒、そしてユダヤ教徒にとっての聖地が揃ってイスラエルの都市エルサレムにあることが問題なのだ。

紀元前、この地にはユダヤ人の王国があった。しかし、他国に侵略されて神殿も破壊され、壁ばかりが残った。これが、現在のユダヤ教最大の聖地「嘆きの壁」である。

その後1世紀になると、ローマ帝国がエルサレムを征服したためにユダヤ人は国を追われている。ローマ帝国はキリスト教を国教としていたため、エルサレムはキリスト教の聖地ともなった。現在、エルサレムの一画には、イエス・キリストの墓でもある聖墳墓教会がある。

そして、7世紀になるとイスラム勢力が進出し、岩のドームを建設して聖地とした。岩のドームは、預言者ムハンマドが天馬に乗って空を飛んだ「夜の旅」や「昇天」の伝説の地につくられたものである。

ちなみに、嘆きの壁と岩のドームの間の距離は約200メートルで、そこから500メートルほどの位置に聖墳墓教会がある。このためにエルサレムは、それぞれの信者にとって何があっても守るべき場所になったのだ。3つの宗教は聖地をめぐって虐殺や反撃を繰り返し、泥沼の様相を呈しているのである。

世界大戦中の混乱

このような状況に乗じて利益を得ようとした国がある。第1次世界大戦当時のイギリスである。

大戦にあたってイギリスは、どの陣営に対しても「戦争が終わったらお前たちを支持してやるから、今はこっちの味方をしろ」とささやいた。

ところが戦争が終わると、イギリスは口をぬぐって知らん顔をした。この件によって、宗教的な混乱に加えて政治的な軋轢がいっそう深まることになる。

そして、混乱のさなかの1948年、突如としてユダヤ人が建国宣言を行い、イスラエルに住んでいたアラブ人を大量に追い出した。

当然、イスラム側は猛烈に反発したが、ユダヤ人にとってイスラエル建国は長年の悲願なのだから、一歩も引くことはなかった。

近年では、アメリカが和平交渉を仲介することもあり、何度か停戦合意がなされた。しかし、長年続いたお互いへの不信感から、何かきっかけがあればすぐに戦闘が始まる。その結果、住人は家や家族を失うということが繰り返されているのである。

ロケット弾が飛び交う自治区

たび重なる戦闘によって勢力を拡大したのはユダヤ側で、そのために多くのアラブ

イスラエルの攻撃によって煙をあげるガザの郊外(©Al Jazeera)

人が難民となった。

　ガザとヨルダン川西岸には、アラブ人が住む「パレスチナ自治区」があるが、これらの地区では、アラブ人がなかば閉じ込められた状態で生活をしている。

　周囲には高い壁が張り巡らされ、出入りはイスラエル軍の検問所によって厳しく管理されている。

　検問所のゲートをくぐる際には、緊張が走るという。

　というのも、イスラエル側の攻撃が始まればゲートは封鎖されてしまう。

　攻撃にはロケット弾が使用されることもある。閉じ込められた状態で、上空から何かが飛来する不気味な音が聞こえたり、近くで爆発が起こったりするかもしれないのだから、緊張するのも当然だろう。

　攻撃がいつ始まるのかを知ることはできない。そのため、ジャーナリストであっても、気軽にパレスチナ自治区へ行くことはできないのである。

2020年になるとイスラエルとアラブ諸国との間で国交正常化の動きが出てきた。脱石油依存を目指すアラブの産油国はイスラエルのハイテク経済の恩恵にあずかりたいし、イスラエル側はネタニヤフ首相に汚職疑惑が浮上したことで、外交成果を上げて国内基盤を立て直したい思惑がある。また、世代交代が進んでパレスチナ問題への関心が薄れつつあることも影響しているようだ。

聖地にある美しい建築物を一目見ようという観光客は世界中から集まっている。イスラエルへの入国は禁止されているわけではないので、旅行に行くのは可能だ。しかし、和平への道が少し進んだとしても、突然戦闘に遭遇するかもしれないというリスクがあることを忘れてはならない。

日常的に空爆にさらされる イラク

アメリカによる空爆

空爆にさらされることはもはや当たり前で、国民にとっては〝日常〟の一部となってしまっている。それがイラクという国である。

イラク国民をおびやかす大規模な空爆は、２００３年から始まった。「大量破壊兵器の保持」と「テロ組織の支援」を理由に、アメリカ軍とイギリス軍がイラクのフセイン政権に攻撃を開始したのがイラク戦争の始まりである。

イラク戦争では、多国籍軍の空爆によって、おびただしい数の砲弾がイラク国民の頭上に降り注いだ。空爆の標的は軍の施設だったが、誤爆も多発したため、女性や子供を含む多くの市民が空爆によって命を落としたのである。

ようやくイラク戦争が終わり、ほっとしたのもつかの間、新たな名目の下に空爆が始まった。今度の空爆の標的は、超過激派テロ組織ＩＳＩＬである。

イラク戦争後、2011年にアメリカ軍が撤退した後は、イラクは比較的治安が安定した状態にあった。しかし、2013年に起きたシリアの混乱が、国境を挟んだイラクに飛び火した。シリアの混乱は、武装勢力のさらなる拡大を招いた。その中で急速に頭角を現してきたのがＩＳＩＬだ。

ＩＳＩＬはイラクからシリア北部にかけての国家樹立を目標に掲げてイラクの都市を襲撃し、占拠しているのである。

ＩＳＩＬには、イラク戦争やアフガニスタン紛争で戦闘経験がある戦闘員が多いといわれる。長く続いた戦闘が、彼らに戦い方を教えたといっていいだろう。

イラクの武装勢力（©Menendj/CC BY-SA 2.5）

空爆によって死んだ戦闘員

主要都市を奪われたイラク側も手をこまねいていたわけではない。2015年に入り、ＩＳＩＬ

に占拠された都市を奪還するため、イラク軍が大規模な作戦を開始している。

作戦の大筋は大規模な空爆と砲撃なのだが、空爆作戦はＩＳＩＬに被害を与えるのと同じかそれ以上の被害を一般市民に与えてしまうことになる。

アメリカ主導の有志連合軍による空爆は、ＩＳＩＬの戦闘員６０００人を殺害し、ＩＳＩＬ指導者も半減したという。しかし、民間人の巻き添えを防ぐことは難しく、ＮＧＯの調査によると、13万人近くが犠牲になったという。

新型コロナウイルスによって息を吹き返したＩＳＩＬ

その後も続いたアメリカを中心とした国連軍の掃討作戦によってイラクのＩＳＩＬは一時息をひそめ、全土に解放宣言が出された。しかし、それもつかの間、ＩＳＩＬが再び息を吹き返しているのだという。

その後押しとなったのが２０２０年に世界に蔓延した新型コロナウイルスである。

有志連合軍は新型コロナウイルスの感染拡大によって掃討作戦の後退を余儀なくされた。ＩＳＩＬはこの有志連合軍の縮小を好機としてとらえ、イラク軍に対して攻撃を仕掛けているのである。

有志連合軍による大物テロリストに対する空爆作戦などは継続しているものの、掃討作戦を行うイラク軍に対して常に随行することは難しくなってしまった。

さらに、市民の夜間外出を取り締まるためにイラク軍の兵士が駆り出され、結果としてＩＳＩＬに対しての警戒が手薄になっている。ＩＳＩＬはそこにつけこんでいるのである。

新型コロナウイルスの蔓延がテロ組織への〝救済〟になっているのだとしたら、その厄災の大きさは感染症で傷ついた人々にさらに暗い影を落とすことになってしまう。

２０２０年７月には国連のグテーレス事務総長が、評価は時期尚早としながらもテロ組織に対する警戒を強めるように警告している。

空爆とテロ行為におびやかされ続けたイラクが、このまま平和への道を進んでいけるかどうかは、感染症の終息へのロードマップがカギを握っているといっても過言ではないのである。

国境が点線で描かれている国 コソボ

地図上では国境が点線で描かれている

東ヨーロッパの地図をＧｏｏｇｌｅマップで見ると、国境を示す線には２種類あることに気づく。実線で描かれた一般的な線と、点線で描かれた線である。点線で示されているのは、多くの国から正式な国家として認められていない未承認国家だ。

コソボもその未承認国家のひとつである。点線を挟んで隣り合っているのはセルビアで、他に隣接しているアルバニアやマケドニアとは実線で区切られているのを見れば、問題はセルビアとの間にあるのだということがわかる。実際、コソボは２００８年にセルビアからの独立を宣言し、「コソボ共和国」と名乗っている。

しかし、セルビアはコソボを独立国として認めていない。国連加盟国のうち、２０１６年の時点で１１３か国がコソボを独立国家として認めており、残りの国はまだ承認していない。

若者が多いのは大人が死んだから

コソボの独立にともなう紛争は激しいものだった。

発端は民族問題である。セルビア系が多数を占めるセルビアの中にあって、コソボの住民はその9割がアルバニア系だ。

コソボ紛争では、この2つの民族が凄惨な戦いを繰り広げた。

戦いはしだいにエスカレートし、セルビア軍が村民を皆殺しにするなどの事件が起きたため、NATO（北大西洋条約機構）軍がコソボのセルビア軍に空爆を行うことで、紛争は一応の終幕を迎えた。

しかし、コソボ北部にはいまだにセルビア系の住民が多く住み、対立の火種が残っている。

NATO軍による兵器貯蔵庫爆撃の様子

コソボでは、人口約185万人のうち25歳以下が半数を占めている。裏を返せば、大人の多くが紛争で命を落としたということだ。

貧しい国から若者が逃げていく

多大な犠牲のもとに始まった国づくりは、数字上では順調に見えた。ＩＭＦ（国際通貨基金）によると、２００９～２０１２年のコソボの経済成長率は年平均約４％となっている。

しかし、その恩恵を受けているのは一部の富裕層に限られ、一般の人々の暮らしはけっして楽なものではない。２０１５年の貧困層の割合は全体の約17％にのぼる。失業率も全体で約30％と高く、15～24歳では50％を超えており、若い世代の半数以上が職にあぶれている。国内では暮らしていけない彼らは、大挙して国を後にしているのである。

コソボにとっては政情を一刻でも早く安定させて経済の回復を図ることが国家存続のための必須事項となっているのである。

トランプのおかげで和平交渉に成果

最近になってコソボとセルビアの関係が一気に改善する出来事があった。そのキーマンとなったのがアメリカのトランプ前大統領だ。

2020年の8月にアメリカの仲介で始まった関係改善交渉の場で、懸案だった両国にまたがる湖の呼び名を「トランプ湖」とすることで一気に交渉が前進した。

この湖は両国にとって発電や飲料水確保の重要な拠点だった。そのためにこの地域では帰属をめぐって激しい戦闘が繰り返されてきた。

交渉の場で、アメリカ側の担当者が「仮にトランプ湖と呼びましょう」と提案したことが両国に受け入れられ、これにより両国間での経済協力に関する合意がなされたのである。

ウソのような本当の話だが、合意の後にはその湖に「トランプ湖」という横断幕が掲げられた。地元民たちもこの交渉の成果が大きく花開くかどうか注目している。

3つの地域に分かれた国家

ソマリア

治安がいいのに退避勧告が出ているソマリランド

まるで日本の戦国時代のように、各地に武装勢力が跋扈《ばっこ》している国家が、アフリカのソマリアだ。

外国人はけっして立ち入るべきではないこの国の中に、1991年に一方的に独立を宣言した謎の独立国家ソマリランドが存在する。

この国は、世界最恐といわれるソマリアにあるにもかかわらず、訪れた人はその治安の良さに驚かされるのだという。首都ハルゲイサは近代的で、Wi-Fiが利用できるホテルがあり、ATMも設置されている。市民が利用する市場には、札束を山積みにした両替商がいるのに、銃を持った警備員や警察の姿は見当たらず、強盗事件にも発展しないのだ。

これほど治安がいいのに、日本の外務省のホームページで見る治安情報は「退避勧告」という最悪のレベルとなっている。

その理由は、ソマリランド共和国を国家として認めている国はひとつもないということだ。となると、外交的な邦人保護のプロセスは適用できず、トラブルに巻き込まれたとしても国に頼ることができないのである。

ソマリランドの首都ハルゲイサの街並み（©YoTuT）

ソマリアの根城プントランド

ソマリアにあるもうひとつの未承認独立国家がプントランドである。しかし、この国に関しての情報はほとんどない。

そんななかで調べていくと、必ずといっていいほど目にするキーワードがある。「海賊」と「テロ組織」だ。

プントランドの海岸地域はソマリアの海賊の拠点となっており、山岳地帯にはイスラム武装組織アル・シャバーブの拠点があるといわれる。いわば、国内の陸と海にテロ集団の拠点が散在しているのである。

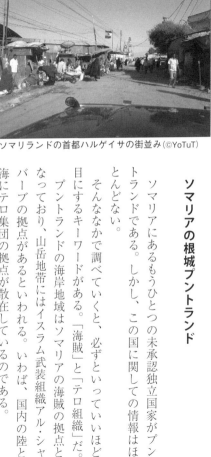

アメリカ海軍がとらえたソマリアの海賊の姿。このような海賊はプントランドから来ているという。

ソマリアの海賊は、名前こそソマリアとなっているが、その多くはプントランドから来ているのだという。

プントランドでは、外国人が一人で街を歩くことは即、拉致されることを意味する。

彼らの手口は、船員を誘拐して身代金を要求するというものである。2005年から2012年末までの間に、約400億円の身代金がソマリアの海賊によって奪われている。

さらには、海賊に拘束された際に怪我を負わされたり、殺害される人質も出ている。

一方、アル・シャバーブは、イスラム過激派のアルカイダと合流するという声明を発表しており、ソマリア政府や国連施設などに対して攻撃をしかけ、市民を巻き込んだテロを起こして死傷者を多数出している。

「三国」の関係は必ずしも良くない

では、ソマリアとソマリランド、プントランドの関係はといえば、けっして良好とはいえない。そもそもソマリアは氏族の集合体でできたような国家で、それぞれの関係は複雑で外国人にはうかがい知れない。

２０２０年にソマリアは隣国のケニアと断交すると発表したのだが、その背景にはソマリランドの「大統領」がケニアを訪問した際に歓待されたことがあるのではないかという。

また、ソマリランドとプントランドの間には領土争いも繰り返されており、武力衝突もあった。

日本の外務省からはソマリア、ソマリランド、プントランド全域が退避勧告の出ている危険地帯であり、外国人が気軽に足を踏み入れるべきではないことは確かなようである。

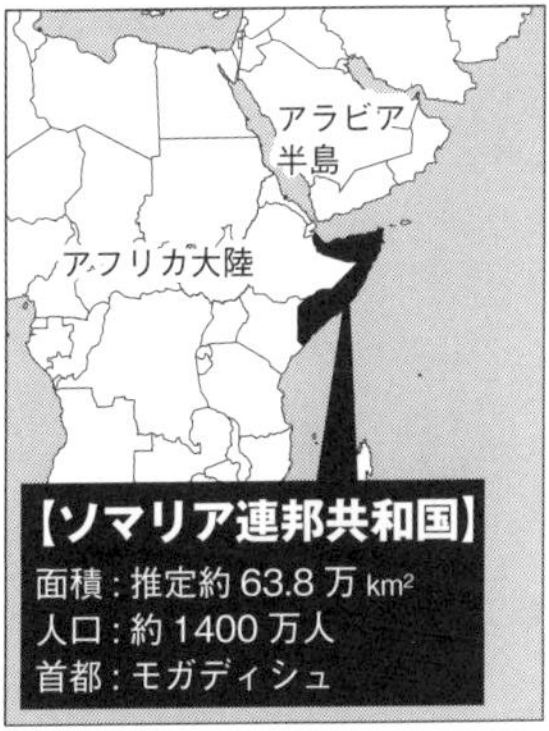

アフリカの北朝鮮と呼ばれる エリトリア

政府が国民の人権を侵害する

エリトリアはアフリカ東部の紅海に面する小さな国だ。１９９１年に独立を宣言し翌々年に承認された、アフリカで２番目に若い独立国である。国土は広くないが、豊かな自然や古代遺跡に恵まれ、近年は企業や旅行者からの関心も高まっている。

このような情報だけをみれば、若い国家として今まさに飛躍しているかのような印象を受けるが、じつはこの国はある大きな問題を抱えている。

エリトリア政府による、国民への深刻な人権侵害である。

国民は監視され強制労働させられる

そもそも独立以来、エリトリアではアフェウェルキ大統領による軍事独裁体制が敷かれている。

きっかけは、1993年に隣国エチオピアとの国境付近で金脈が発見されたことだった。金脈をめぐって始まった国境紛争に対して、野党が激しく反対した。与党がこれを徹底的に抑え込もうとして、本格的な言論弾圧を始めた。それが一般にも広がったのである。

まず、厳格な監視制度が作られ、国民は生活のあらゆる面で政府からの監視を受けるようになった。政府に対する反抗的な言動が発見されれば、ただちに刑務所に収監されたり処罰されたりするので、国民は自由に自分の考えを口にすることもできない。

独立以来大統領を続けるアフェウェルキ

ましてや、政府に対する抗議のデモなどはいっさい許可されず、事実上、言論の自由は存在しないのだ。

また、国外への渡航は制限され、国内での移動でさえも許可が必要なので、国民は実質的に身動きできない状態なのである。

さらに、男女を問わず無期限の兵役

義務や、「ナショナルサービス」と呼ばれる勤労奉仕の義務もある。勤労奉仕といえば聞こえはいいが、実態は強制労働だといわれている。国民は言いたいことも言えずに、ただひたすら国家のための奉仕を強要されているのだ。

また、国民には、心のよりどころになるはずの信仰の自由もない。

国内で認められている宗教はカトリックとイスラム教スンニ派など4つだけで、それ以外は非合法とされる。もしも異教徒が発見されれば、政府によって厳しく弾圧され、正式な手続きを経ることなく裁判が行われ、拷問や処刑も公然の秘密として行われているのだ。

このような事情もあって、「刑務所国家」「アフリカの北朝鮮」という言い方もされている。

圧政を逃れた難民が戦闘でさらに行き場をなくす

圧政に苦しむ国民は難民となって国を出ていく者も多い。隣国エチオピアの難民キャンプには、約9万6000人のエリトリア難民が暮らしているという。内戦もないのに国を捨てなければならないほどの国内の暮らしはひっ迫しており、けっして快

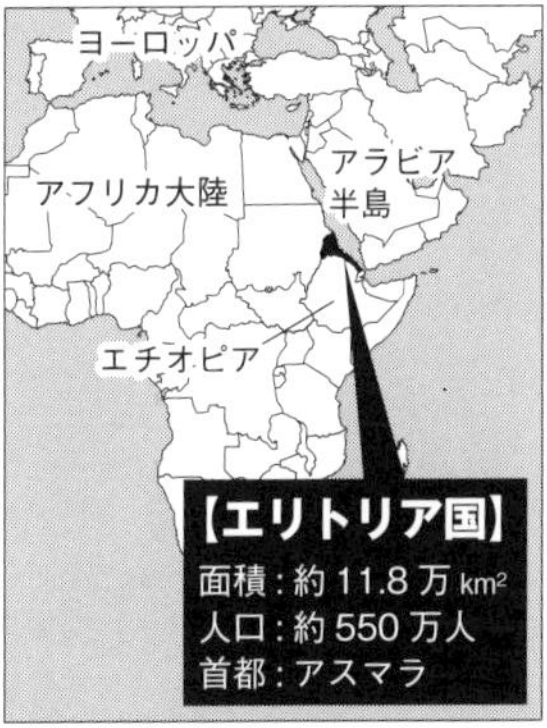

適とはいえない難民キャンプのほうが快適に感じるほどの惨状だったのである。

エチオピアのティグレ州に多く暮らしていたエリトリア難民にとって、そこは安全な避難場所だったのだが、２０２０年に状況は一変する。エチオピアのアビー政権によってティグレ州のティグレ人民解放戦線に対する軍事攻撃が開始されたのだ。

そしてティグレ人民解放戦線は、エチオピア政府と和平を結んだエリトリアにも攻撃を仕掛け、さらなる難民が発生している。エリトリア難民たちは戦火を逃れてスーダンに逃れているが、いまだ混乱の中にある。

アビー政権は２０２０年末に「軍事作戦はじきに終了する」という声明を出したが、ティグレ人民解放戦線の指導者たちは逃走しており、戦闘継続を宣言しているため、平穏とはほど遠い日が続いているのである。

ジンバブエ

独裁とインフレで崩壊寸前にある

37年も大統領の座に君臨した独裁者

広大なマナ・プールズの野生生物保護地域やヴィクトリアの滝など、ジンバブエには豊かな自然が広がっている。

日本よりやや大きい国土に、東京都の人口と同じくらいの人々が暮らすジンバブエは、１９８０年に建国された。この時就任したムガベ大統領は独裁体制を敷き、現在もその体制を維持し続けている。

もともとジンバブエはイギリスの植民地で、白人の入植者による農業が成功したため、比較的豊かな国だった。

独立時、この白人たちの土地問題が取り沙汰されたが、ムガベはこれに手をつけず、自身の権力を大きくすることに腐心した。

だが、しだいに政治が腐敗し、国民の不満は募っていく。するとムガベは反発の矛先をそらすために、突如として白人農場主を弾圧し、土地を接収し始めた。農地は黒人の手に渡ったが、農業や経営のノウハウがない黒人には土地を活用することができない。その結果農業は衰退し、反対勢力は殺害され、ジンバブエは一気に国力を失ってしまったのである。

ムガベ大統領(©Al Jazeera English/CC BY-SA 2.0)

失業率が95%になる

そんなジンバブエの失墜ぶりが全世界に知れ渡ったのは、2008年のことだ。記録的なハイパーインフレを起こし、国が大混乱に陥ってしまったのである。

財政が悪化した状態で、政府の求めるままに中央銀行が大量の紙幣を刷った結果、紙幣の価値が暴落し、物価は天文学的なインフレ状態になった。

2008年当時、500ミリリットルの牛

100兆ジンバブエドル紙幣

乳が600億ジンバブエドル、牛肉1キロは4380億ジンバブエドルだった。

そのうえ、しだいにモノ不足が進み、札束を抱えて買い物に出かけても、何も買えない時期もあったのだ。

さらに、この年のジンバブエはコレラが蔓延し、政府が非常事態宣言を出すほどだった。経済の悪化で町には失業者があふれ、一時は失業率が95％に上昇し、〝世界最貧国〟という不名誉なレッテルを貼られた。

独裁政権が終わっても経済は悪化

変化が起きたのが2017年の軍事クーデターによるムガベ大統領の失脚だ。経済が破綻し、汚職と職権乱用が過ぎたことによって国民の不満が極限に達し、国外追放という末路をたどったのである。

2019年4月からはシンガポールの病院で闘病生活を送っていたムガベ大統領

は、同年9月に95歳でこの世を去っている。

独裁政権との決別に喜んだのもつかの間、ジンバブエのインフレは解消される気配がなく、経済状況はさらに悪化してしまった。国民からは「ムガベのほうがましだった」という声も上がっている。

2019年には外貨による決済が禁止され、ジンバブエは深刻な外貨不足に陥っている。経済の回復が見られないままの状態が続いており、それにともなって金銭目的の強盗事件や誘拐などの犯罪も頻発している。

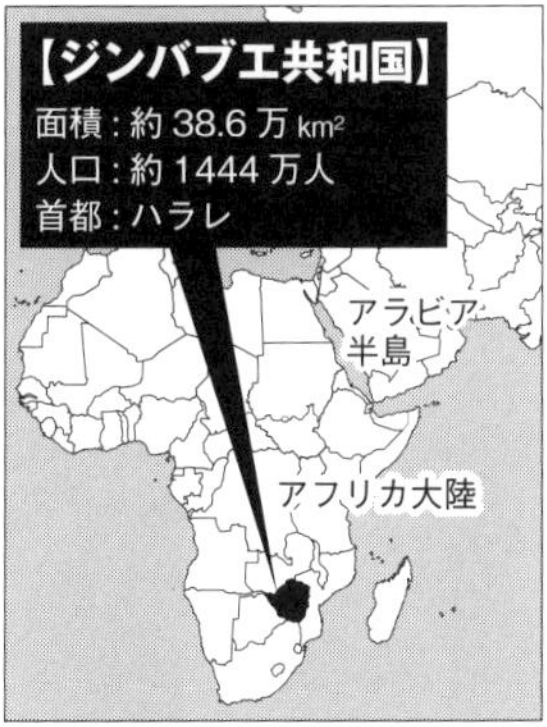

日本の外務省からの勧告レベルは「注意」に留まるものの、観光地においても犯罪に巻き込まれる可能性は十分にある。

2020年にはムガベ時代に接収した土地を白人経営者に返還するという提案がなされたが、ムガベ政権時代の負の遺産を解消しつつ経済を立て直すにはまだ時間がかかりそうだ。

コートジボワール

多部族国家で起こる分断と大統領争い

60以上の部族を抱える多部族国家

サッカーでは、しばしば民族や人種の違いが原因で、代表メンバー同士の内部分裂が起こるという。

西アフリカのコートジボワールもまさにこれに当てはまる。代表チームをつくってもメンバー同士が何かと衝突し、なかなか足並みが揃わないのである。

それもそのはず、コートジボワールはおよそ60以上の部族を抱える多部族国家で、「部族の博覧会場」と呼ばれるほどバラエティ豊かな人々が暮らしている。代表チームに選ばれた選手は多部族から集められているのだが、そのためか、別の部族の選手にはパスを出さないという噂もあるほどだ。

かつてはフランスの植民地だったために公用語はフランス語だが、他にも部族独自の言語が数多く存在し、宗教もイスラム教、キリスト教、伝統宗教と多様だ。

この地は古くから部族の流入が盛んだった場所だったが、１９６０年の独立後も何かと部族意識が強く、政治や経済などの分野で部族同士の争いが続いている。

大統領選挙にともなう混乱の中で、若者が国連の車両を焼く様子（2010年1月）（©Stefan Meisel）

宗教も絡んだ内戦

部族はおもに6つの民族グループに分かれていて、特に北部と南部の対立が激しい。

この対立は、２００２年に退役予定の兵士たちが突如として武装決起し、政府要人邸や軍事基地などを襲撃したことがきっかけで起きた。

この事態に、フランスや国連のＰＫＯ部隊が派遣され、一度は両者の間で和平合意がなされたが、解決には至らなかった。そしてついには政府軍と反政府軍による内戦に発展し、その結果、おもにイスラム教徒が多い北西部と、キリスト教徒が多い南部で分断されてしまったのである。

右:ワタラ（©Hugo Passarello Luna/CC BY-SA 2.0）
左:バグボ（©Zenman /CC BY-SA 2.0）

２０２０年に行われた大統領選挙では、現職のワタラ大統領の出馬をめぐって武力衝突が起きるほどの大混乱に陥った。

コートジボワールでは大統領の３選が憲法で禁止されている。このため野党が選挙をボイコットするなどして死者が出るほどの武力衝突も起きたのだ。

混乱の中で行われた選挙で、ワタラ大統領が当選を果たして3期目に突入した。しかし野党はこの結果を無効として「国家暫定評議会」の設置を宣言し、暫定政府の組閣を予告した。

国際社会もこの混乱を問題視して、アフリカ連合や西アフリカ諸国経済連合体が選挙監視団を派遣している。その裁定では、多少の混乱はあったものの選挙に不正はなく、野党は選挙結果を受け入れるべきだとした。国連の特使も調停者として派遣されたが、いまだに解決には至っていない。

振り返れば、２０１０年の大統領選挙の際にも当選したワタラ大統領の勝利を不服とした前大統領バグボ側が選挙の無効を訴えて大騒動になっている。

北部の民族グループが支持するワタラ派と、南部の民族グループが支持するバグボ派の対立で、内戦状態に突入してしまったのだ。

２０１１年にはワタラ派の住民が数百人という単位でバグボ派に虐殺される事件も起きた。国連の介入にもかかわらず内戦は激化し、３０００人以上の犠牲者が出たのである。

最終的にはバグボが身柄を拘束されてワタラが大統領の座に就いた。それでも、引き金となった部族間の対立の火種は、一触即発のままくすぶり続けている。

２０２０年の選挙に関わる混乱が、結果的に部族間の対立を激化させてしまったら悪夢の再来となってしまうのである。

2つの政府と超過激派が跋扈する リビア

武装集団と化した25万人

中東地域には、日本の外務省から退避勧告が出ている国が多いが、なかでもリビアは、全土にわたって退避勧告が出ているトップレベルの危険地帯だ。

リビアでは、カダフィが長い間独裁政治を続けていた。しかし「アラブの春」の流れを受けて彼が政権の座を追われ、２０１１年10月に、国民評議会がリビア全土の解放を宣言した。

これで新しいリビアの国づくりが始まるのだと、国民も国際社会も信じていた。しかし、その後の展開がうまくいかなかった。カダフィ政権を倒すために戦った約25万人の民兵達が武装集団と化して、各地で襲撃や略奪を繰り返すようになってしまったのだ。

民兵達は国内で１７００以上ともいわれる武装集団を好き勝手につくり、それぞれがカダフィの遺した武器庫から武器を強奪した。そして、利権を求めて石油施設などを攻撃し占拠しているのだ。そのおかげで、リビアの2大石油港であるエスシデルとラスラヌフは閉鎖に追い込まれたのである。

このことが、リビアの主な産業だった石油産業に大ダメージを与えた。カダフィ政権崩壊前はピーク時で日量160万バレルだった産油量が、日量30万バレルまでに激減してしまった。以来、主要な産油施設が反政府組織の支配下にあることでリビアの石油産業は不安定な状態が続いていた。

反政府集団によって占拠された首都トリポリの様子(2011年)

アメリカ大使がテロで死亡する

また、武装集団は空港や港なども攻撃している。首都トリポリでは国際空港が襲撃され、駐機していた機体の9割が破壊されるという事件

リビアから逃れる難民(©Magharebia)

が起きた。外国人を狙った誘拐事件も多発した。各国の大使館にも爆弾などを使った攻撃が相次ぎ、死者も出る事態となっている。
2012年にはアメリカ領事館が襲撃され、アメリカ大使を含む国務省の職員が4人死亡するというテロがあった。
このような情勢を受けて、各国は大使館を一時閉鎖し、外交団を国外退避させている。

対立する2つの政府

2016年に国連の主導の下で「国民合意政府(GNA)」がつくられたが、その支配は首都トリポリ周辺にとどまっている。一方で軍事組織「リビア国民軍(LNA)」がリビア東部の支配を強めてきた。

そして2019年、LNAはトリポリに侵攻し、GNAと大規模な軍事衝突を起こした。双方には世界各国がそれぞれの思惑を持って背後につき、軍事的援助などを行った。

結果的にはトルコの強力な支援を得たＧＮＡが形勢を盛り返してトリポリの支配を取り戻し、ＬＮＡは再び東部地域に撤退したのである。

２０２０年には停戦合意がなされ、すべての戦闘の停止と２０２１年3月までの選挙の実施が約束された。政情が安定したことで停止していた産油施設も操業再開し、産油量がトリポリ侵攻前の水準に近づきつつある。

しかし、停戦合意がなされて選挙が約束されたからといって、すぐに国家の安定が実現するわけではない。まず、２０１９年だけで20万人を超えたトリポリ周辺の避難民の問題がある。しかも、民兵組織の武装解除や国内にうごめく過激派テロ組織の掃討も必要だ。

今までに一度も実現していないＧＮＡによる全土支配を可能にし、停戦合意の実効性を高めるためには、まだまだ問題は山積みなのである。

【主要参考文献】

『ニュースがわかる世界各国ハンドブック』(「世界各国ハンドブック」編集委員会編/山川出版社)、『グアテマラを知るための65章』(桜井三枝子編著/明石書店)、『中米ブラックロード』(嵐よういち/彩図社)、『メキシコ麻薬戦争 アメリカ大陸を引き裂く「犯罪者」たちの叛乱』(ヨアン・グリロ/山本昭代訳/現代企画室)、『パキスタン政治史 民主国家への苦難の道』(中野勝一/明石書店)、『詳解 北朝鮮の実態 金正恩体制下の軍事戦略と国家のゆくえ』(西村金一/原書房)、『アフリカ 苦悩する大陸』(ロバート・ゲスト/伊藤真訳/東洋経済新報社)、『現代メキシコを知るための60章』(国本伊代編著/明石書店)、『ニュース年鑑2015』(池上彰監修/こどもくらぶ編/ポプラ社)、『ソマリア、心の傷あと』(谷本美加/草の根出版会)、『「闇の奥」の奥』(藤永茂/三交社)、『アフリカ歴史人物風土記』(服部伸六/社会思想社)、『アフリカのいまを知ろう』(山田肖子/岩波書店)、『エルサルバドルを知るための55章』(細野昭雄、田中高編著/明石書店)、『アフリカ・レポート 壊れる国、生きる人々』(松本仁一/岩波書店)、『アフリカは本当に貧しいのか 西アフリカで考えたこと』(勝俣誠/朝日新聞社)、『アフリカ人の悪口』(吉國かづこ/日本文学館)、『現代アフリカの紛争と国家』(武内進一/明石書店)、『日本の世界の激ヤバ地帯』(ダイアプレス)、『国マニア』(吉田一郎/筑摩書房)、『珍国巡礼』(イカロス出版)、『ホンジュラスを知るための60章』(桜井三枝子、中原篤史編著/明石書店)、『独裁国家に行ってきた』(MASAKI/彩図社)、『世界中の「危険な街」に行ってきました』(嵐よういち/彩図社)、『未承認国家と覇権なき世界』(廣瀬陽子/NHK出版)、読売新聞、朝日新聞、夕刊フジほか

【参考ホームページ】

NewSphere、WEDGE Infinity、AFPBB News、BBC、CNN、ロイター通信、ウォールストリートジャーナル

ナル日本版、ニューズウィーク日本版、日本経済新聞、朝日新聞デジタル、産経ニュース、ＮＨＫオンライン、日経ビジネスオンライン、Ｙａｈｏｏ！ニュース、ハフィントンポスト、スポニチアネックス、ハーバービジネスオンライン、ダイヤモンド・オンライン、東洋経済オンライン、ビジネスニュースライン、47ＮＥＷＳ、ＪＢｐｒｅｓｓ、ＪＣＡＳＴニュース、ＴＨＥ　ＰＡＧＥ、日刊ＳＰＡ！、週プレニュース、外務省 海外安全ホームページ、在トルクメニスタン日本国大使館、公安調査庁、ＵＮＨＣＲ（国連難民高等弁務官事務所）アムネスティ・インターナショナル、日本アルメニア友好協会、国連児童基金（ユニセフ）、日本ユニセフ協会、ツバルオーバービュー、ＷＥＢ本の雑誌、ネット選挙ドットコム、フォーサイト、チェチェン総合情報、ロシアＮＯＷほか

【カバー写真クレジット】

右上…©Nicor and licensed for reuse under Creative Commons Licence
右下…©Shay Sowden
左上…写真提供：ＥＰＡ＝時事
左下…写真提供：ＡＦＰ＝時事
※表紙の画像はイメージ画像であり、本文とは直接の関係はありません。
表紙・本扉…©Marcin Wichary

本当に危険な　立入禁止国家

2021年3月12日　第1刷

編　者　歴史ミステリー研究会

製　作　新井イッセー事務所

発行人　山田有司

発行所　株式会社　彩図社《さいずしゃ》

〒170-0005　東京都豊島区南大塚3-24-4 MTビル
TEL:03-5985-8213
FAX:03-5985-8224

印刷所　新灯印刷株式会社

URL：https://www.saiz.co.jp
https://twitter.com/saiz_sha

 ISBN978-4-8013-0506-9 C0120

本書は弊社より刊行した書籍『本当に危険な立入禁止国家』（2015年10月発行）を加筆・再編集のうえ文庫化したものです。